D1230162

The Dryden Press

German Language Publications

General Editor

HELMUT REHDER

The University of Texas

# MODERN GERMAN

J. ALAN PFEFFER
*The University of Buffalo*

*and*

THEODORE B. HEWITT
*Late of the University of Buffalo*

THE DRYDEN PRESS

Manufactured in the United States

# PREFACE

MODERN GERMAN is a composite text: one that aims at increasing facility in reading, writing, and speaking and at helping the student to acquire some cultural facts and insights as well. Designed to sustain the interest of the maturer high-school or college student who is already grounded in the elements of the language, it combines the principal aspects of a practical and cultural reader with those of a stimulating composition book. In addition, it provides ample opportunity for aural-oral practice on an advanced plane.

Its twenty-five units are arranged in five cycles, each of which deals successively with five topics, offering a broad and challenging variety of themes for study. First in each cycle is a lesson based on a practical, everyday subject — commerce, travel, and the like. Second is a unit dealing with a representative literary monument. Next is a "cultural" unit such as "Die Donau," followed by a biographical section. An anecdotal topic rounds out each cycle.

The individual unit is made up of (1) a Lesestück, (2) a set of Fragen relating to it, (3) Stilübungen intended to focus attention on a specific point of grammar treated in the reading selection, (4) an English essay derived from the Lesestück to be rendered into German, and (5) suggested lists of synonyms and derivatives for inclusion in a written or oral reproduction in German of one of the major themes of the central topic. A comprehensive German-English word list, including examples of word formation, follows each Lesestück, and a full English-German vocabulary is included at the end of the book. Throughout, great care was taken to avoid concessions in either syntax or style merely to facilitate the transition from one language to the other.

As every accomplishment is the product of cooperation, it is a pleasure to acknowledge the skill and the devotion with which Professor Helmut Rehder, general editor of the Dryden German Series, guided the text through the various stages of publication. For their critical and helpful reading of the manuscript thanks are due to Professor Albert Scholz, of Syracuse University, to Professor Emeritus Albert W. Boesche, of Cornell University, and to Mr. Henry M. Hollenstine and Miss Hanna Lange, of the University of Buffalo, who also assisted with the reading of the proofs. No error would have escaped Professor Theodore B. Hewitt's sixth sense, had he lived to see our book in print.

J.A.P.

The University of Buffalo
August 15, 1955

# INHALTSANGABE

# · 1 ·

# REISE UND VERKEHR

## LESESTÜCK

Wer zur Zeit Karls des Großen von einem Ort zum andern (gelangen) wollte, der wanderte zu Fuß oder ritt zu Pferde. Beabsichtigte er aber, eine längere Reise zu machen, so mußte er einen von Ochsen gezogenen Karren benutzen, der nur langsam und mühevoll vorwärtskam. Denn die Wege, deren es damals noch wenige gab, waren im allgemeinen 5 schlecht und holperig.

Ein regelrechter Verkehr zu Wagen entwickelte sich erst im fünfzehnten Jahrhundert, als Städte, Universitäten, Klöster und andere Körperschaften private Posten einzurichten begannen, welche Personen, Briefe und Pakete beförderten. Eine Fahrt in einem solchen 10 Postwagen war aber meistens recht beschwerlich und anstrengend. Am Ausgang des siebzehnten Jahrhunderts, als die Staatsposten zur Blüte gelangten, dauerte die Reise von Berlin nach Wien noch sechs Tage.

Eine große Umwälzung im Verkehrswesen setzte erst im neun- 15 zehnten Jahrhundert mit der Erfindung der Dampfmaschine und des Benzinmotors ein. Obwohl man dem Dampfrosse anfangs scheu und mißtrauisch begegnete und die ersten nach dem Vorbilde der großen Postkutschen gebauten Eisenbahnwagen noch recht unbequem waren, weckten die neuen Bahnen doch bald eine allgemeine Reiselust. 20 Außerdem übten sie einen ungeheuren Einfluß auf die Entfaltung des

Handels und der Industrie aus und ermöglichten den Ausbau des modernen Briefverkehrs.

Der Argwohn, mit dem die Eisenbahn zuerst aufgenommen 25 wurde, erstreckte sich auch auf den Motor, als dieser etwas später seine Herrschaft zu Lande, zu Wasser und schließlich in der Luft antrat. Die Behörden zeigten für die ersten pferdelosen Wagen wenig oder gar kein Verständnis. Die Erfinder des Kraftwagens wurden angefeindet oder ausgelacht. Sie mußten mit allen Mitteln der Bered- 30 samkeit gegen die Polizeibehörden ankämpfen, die „das Fahren mit elementarer Kraft" verboten oder, als sie es endlich gestatteten, die Fahrgeschwindigkeit auf sechs Kilometer in der Stunde innerhalb der Stadt und auf zwölf Kilometer in der Stunde außerhalb der Stadt festlegten.

35 Seither ist aber die Fahrgeschwindigkeit des Autos fast aufs zehnfache gestiegen. Und die neuen Autobahnen, die die großen Städte umgehen und Kreuzungen mit andern Straßen oder Eisenbahnen durch Über- und Unterführungen ausschalten, ermöglichen es dem Fahrer, beinahe immer mit Höchstgeschwindigkeit zu fahren. 40 Die Reise von Berlin nach Wien, die einst im Postwagen eine Woche in Anspruch nahm, dauert nur noch einige Stunden mit dem Automobil. Mit dem Flugzeug, dessen eigentliche Anfänge auch ins achtzehnte Jahrhundert zurückreichen, legt man heutzutage die Strecke in kaum zwei Stunden zurück.

## WORTSCHATZ

In this vocabulary and in those in succeeding lessons a dash (—) stands for the repetition of the entry word. Inseparable compound verbs are printed as one word (bekommen). Separable compound verbs are printed with a hyphen (auf-stehen). The principal parts of strong and of irregular (weak) verbs marked with an asterisk (*) are given in the verb list on pages 215 to 218. An (s) identifies verbs conjugated with sein.

Nouns are given in the nominative singular and plural: das Buch, ⸚er = das Buch, die Bücher. The genitive singular is indicated only when the noun is weak or irregular: das Herz (-ens), -en = das Herz (des Herzens), die Herzen.

Adverbs ending in -ly are given only when they cannot be translated by the uninflected form of the corresponding adjective; for example, quick or quickly = schnell.

Deviations from the usual pattern of stress or pronunciation are indicated in parentheses or by accent (notieren).

**die Absicht, -en** intention; **die — haben*** to intend
**allgemein** general; **im —en** generally
**der Anfang, ⸚e** beginning; *cf.* **an-fangen*** to start, to begin
**anfangs** at first
**an-feinden** to treat with hostility; *cf.* **der Feind, -e** enemy
**an-kämpfen gegen** (acc.) to struggle (*or* fight) against
**der Anspruch, ⸚e** claim; **in — nehmen*** to require; *cf.* **sprechen*** to speak
**anstrengend** taxing; *cf.* **streng** strict
**der Argwohn** suspicion
**auf-nehmen*** to receive
**der Ausbau** extension, development
**der Ausgang, ⸚e** exit, end; **am —** at the end; *cf.* **gehen*** (s) to go
**aus-lachen** to ridicule
**aus-schalten** to eliminate; *cf.* **der Schalter, -** switch
**außerdem** moreover
**aus-üben** exercise; *cf.* **üben** to practice
**die Autobahn, -en** superhighway

**beabsichtigen** to intend; *cf.* **die Absicht, -en** intention; *cf.* **sehen*** to see
**die Behörde, -n** authority

**beinahe** almost
**benutzen** to use
**der Benzịnmotor, -en** gasoline engine
**die Beredsamkeit** persuasion; *cf.* **reden** to speak
**beschwerlich** trying, burdensome; *cf.* **schwer** difficult, heavy
**die Blüte, -n** blossom; **zur — gelangen** (s) to come into full vogue; *cf.* **gelangen**

**die Dampfmaschine, -n** steam engine
**das Dampfroß, Dampfrosse** iron horse

**eigentlich** actual
**der Einfluß, Einflüsse** influence; *cf.* **fließen*** (s) to flow
**ein-richten** to arrange, to organize, to set up
**ein-setzen** to set in, to start
**der Eisenbahnwagen, -** railway coach
**die Entfaltung** development; *cf.* **falten** to fold
**entstammen** (s) to stem (*or* derive) from
**der Erfinder, -** inventor; **die Erfindung, -en** invention
**ermöglichen** to make possible; *cf.* **möglich** possible
**sich erstrecken auf** (acc.) to extend to

**der Fahrer, -** driver; *cf.* (trans.) **fahren*** to drive; (intrans.) **fahren*** (s) to travel, to journey; *cf.* **die Fahrt, -en** trip, journey
**die Fahrgeschwindigkeit, -en** speed
**fest-legen auf** (acc.) to set (*or* fix) at
**fettgedruckt** boldface
**das Flugzeug, -e** airplane; *cf.* **fliegen*** (s) to fly
**zu Fuß gehen*** (s) to walk, to go on foot

**gelangen** to get (to); *cf.* **gelingen*** (impers.) (s) to succeed; **es gelingt mir** I succeed

**sich geltend machen** to make oneself felt
**gestatten** to permit, to allow

**der Handel** trade, commerce
**die Herrschaft** rule; control; **die — an-treten*** to gain ascendency
**heutzutage** nowadays
**die Höchstgeschwindigkeit, -en** maximum speed
**den Höhepunkt erreichen** to reach a climax
**holperig** rough, bumpy

**ein Interesse haben* für** (acc.) to be interested (*or* have an interest) in

**das Jahrhundert, -e** century

**der Karren, -** cart
**die Körperschaft, -en** corporate body
**der Kraftwagen, -** motor car, automobile
**die Kreuzung, -en** crossing; *cf.* **das Kreuz, -e** cross

**Mißtrauen entgegenbringen*** (dat.) to distrust, to meet with distrust
**mißtrauisch** distrustful
**mitein-begreifen*** to include
**das Mittel, -** means

**der Ochse (-n), -n** ox

**die Post(kutsche), -(e)n** *or* **der Postwagen, -** stage (coach)
**pferdelos** horseless

**recht** rather
**regelrecht** regular, systematic
**die Reise, -n** trip, journey; **die Reiselust** interest in (*or* passion for) travel

**scheu** shy, timid
**schließlich** finally; *cf.* **schließen*** to close
**seither** since then
**die Staatspost, -en** state coach (system)
**steigen*** (s) to rise, to increase, to climb
**die Strecke, -n** stretch, distance

**die Überführung, -en** overpass
**umgehen*** to skirt
**die Umwälzung, -en** revolution, change
**unbequem** uncomfortable
**ungeheuer** enormous, huge
**die Unterführung, -en** underpass

**verbieten*** to forbid, to prohibit
**verfassen** to write, to compose
**der Verkehr** traffic; **regelrechter —** regular travel
**das Verkehrswesen** transportation (system)
**das Verständnis** appreciation; *cf.* **verstehen*** to understand
**vielfach** frequently; **um das Vielfache** many times over
**das Vorbild, -er** model, pattern; **nach dem — gebaut** patterned after
**vorwärts-kommen*** (s) to make progress (*or* headway)

**wecken** to awaken, to rouse

**zu** to; toward; at; **— Pferde** on horseback; **— Wagen** by coach; **— Lande, — Wasser und in der Luft** by land, by water and in the air; **zur Zeit** at the time of
**zuerst** at first
**zurück-legen** to cover
**zurück-reichen** to go (*or* reach) back

## FRAGEN

1. Wie reiste man zur Zeit Karls des Großen?
2. Wer richtete die ersten Privatposten ein?
3. Wie lange dauerte einst die Reise von Berlin nach Wien?
4. Wann setzte eine große Umwälzung im Verkehr ein?
5. Was ermöglichten die neuen Eisenbahnen?
6. Gegen wen mußten die Erfinder des Kraftwagens ankämpfen?
7. Auf wie viele Kilometer in der Stunde wurde die Fahrgeschwindigkeit zuerst festgelegt?
8. Wie schnell fährt man heute?
9. Wodurch zeichnen sich die modernen Autobahnen aus?
10. In wieviel Stunden legt ein Flugzeug die Strecke von Berlin nach Wien zurück?

## STILÜBUNG

(1) Complete the relative clauses. (2) Change five of them into adjectival modifiers. Example: Er sah einen Karren, der langsam dahinrollte. Er sah einen langsam dahinrollenden Karren.

1. (Whoever) von einem Ort zum andern wollte, der wanderte zu Fuß oder ritt zu Pferde. 2. Er benutzte einen Karren, (which) nur langsam vorwärtskam. 3. Die Wege, (of which) es wenige gab, waren schlecht. 4. Sie richteten Posten ein, (that) Personen beförderten. 5. Der Argwohn, (with which) die Eisenbahn aufgenommen wurde, erstreckte sich auch auf den Motor. 6. Sie mußten gegen die Polizeibehörden ankämpfen, (who) das schnelle Fahren verboten. 7. Die Autobahnen, (which) die großen Städte umgehen, schalten Kreuzungen mit andern Straßen aus. 8. Die Reisen, (which) einst Wochen in Anspruch nahmen, dauern nur noch ein paar Stunden. 9. Mit dem

Flugzeug, (whose) Anfänge weit zurückreichen, legt man die Reise in zwei Stunden zurück.

## FREIE AUFSÄTZE

Schreiben Sie einen kurzen Aufsatz über (a) „Die Eisenbahnen" oder (b) „Die Autobahnen" und bedienen Sie sich dabei möglichst folgender Redewendungen: zu Fuß gehen, die Absicht haben, am Ende, den Höhepunkt erreichen, sich geltend machen, Mißtrauen entgegenbringen, möglich machen, miteinbegreifen, ein Interesse haben für, um das Vielfache.

## ÜBERTRAGUNG[1]

1. A systematic means of communication[2] did not (as yet) exist in the days of Charlemagne.
2. In the ninth century anyone who[3] intended to take a fairly long trip had either to ride on horseback or drive in a cart.
3. There were few roads, and these were generally very poor.
4. Regular travel by coach did not develop until (in) the fifteenth century.
5. [It was] then [that] the cities and universities began to organize stages to carry[4] passengers, letters, and packages.

[1] Since some words and phrases given in the *Lesestück* may not be repeated in the general vocabulary, it will be very helpful to study carefully the German model before rendering the *Übertragungen* into German. In the *Übertragungen*, the words in parentheses ( ) are to be translated; those in square brackets [ ] are to be omitted. Occasionally, for the sake of clearness, the words of a phrase in the text are connected with ligatures (‿‿) to indicate that the whole expression is to be translated as a unit. [2] *Use* der Verkehr. [3] *Begin the sentence with* wer. [4] *Use* zur Beförderung von.

6. As a rule the journey from Berlin to Vienna by stage took[5] six or even seven days.
7. The invention of the steam engine and the gasoline motor brought along many changes.
8. The first German railway line between Nuremberg and Fürth was opened to traffic in 1835.
9. Although the first railroad coaches were still rather uncomfortable, they nevertheless aroused a general desire to travel.
10. Commerce and industry also owe their tremendous upsurge to the growth of the railroads.
11. The[6] first horseless carriages were not permitted to travel faster than six kilometers an hour.
12. The authorities were of the opinion that greater speeds entailed too many dangers.
13. Since then, however, the maximum speed has increased to some eighty kilometers per hour.
14. But such speeds would be out of the question even today without automobile speedways.
15. The new superhighways avoid all obstacles to traffic by[7] skirting large cities and eliminating dangerously sharp curves.
16. Moreover, intersections with other avenues and with railroads are replaced everywhere by under- and overpasses.
17. The airplane may be said to have been practically developed only in the twentieth century.[8]
18. The airplane has intensified the competition between automobile and railroad.
19. Nowadays airplanes offer their passengers all modern conveniences.
20. By[9] airplane the trip from Berlin to Vienna takes scarcely two hours.

[5] *See* Vocabulary. [6] *Use* Mit den . . . durfte man. [7] *Use* indem *clause.* [8] *Use* Von einer praktischen Entwicklung des Flugzeugs ist erst im 20. Jahrhundert die Rede. [9] *Use* mit dem.

# · 2 ·

# DAS HILDEBRANDSLIED

## LESESTÜCK

Das Hildebrandslied, die germanische Gestaltung des internationalen Sagenmotivs vom Kampf des Vaters mit dem Sohne, ist das einzige erhaltene Denkmal altdeutscher Heldendichtung. Es wurde vermutlich zwischen 750 und 800 von einem Volksdichter aus Bayern, wohl im
5 nördlichen Hessen oder Thüringen poetisch eingekleidet. Die überlieferte Fassung, eine merkwürdige Mischung niedersächsischer und hochdeutscher Sprachformen, ist um 800 von zwei Schreibern, wahrscheinlich in Fulda, auf der Vorderseite des ersten und auf der Rückseite des letzten Blattes einer theologischen Handschrift ein-
10 getragen worden. Der Text ist lückenhaft und bricht kurz vor dem Ende des stabreimenden Gedichtes ab, da kein Raum mehr zum Weiterschreiben vorhanden war.

Den Inhalt bildet eine Episode des ostgotischen Sagenkreises. Dietrich von Bern, der spätere Stifter des Ostgotenreiches in Italien
15 (493-526), ist mit seinem kühnen Waffenmeister Hildebrand und anderen Helden zum Hunnenkönig Etzel in Ungarn geflohen, um der Wut Odoakers, des deutschen Heerkönigs in Italien (476-493), zu entgehen. Nach dreißig Jahren kehrt Dietrich mit einem Heer zurück, um sein Reich wieder zu erobern. An der Grenze stoßen die
20 feindlichen Scharen Dietrichs und Odoakers aufeinander. Sogleich rüsten sie sich zur Schlacht. Der Sitte gemäß fordern sich jedoch zuvor zwei der trefflichsten Krieger zum Zweikampf heraus, um

möglicherweise so eine Entscheidung herbeizuführen. Es sind Hildebrand und sein Sohn Hadubrand, den er einst als Kind zurückgelassen hatte. Vater und Sohn kennen sich nicht. Auf Hildebrands 25 Frage nennt Hadubrand seinen Namen. Der Vater gibt sich nun zu erkennen und bietet dem Sohn goldene Armringe zum Geschenk an. Dieser ist aber mißtrauisch. Er weist die Gabe höhnisch zurück und will nicht vom Kampfe lassen. Von Schmerz übermannt, sein eigenes Kind erschlagen zu müssen oder von ihm erschlagen zu werden, 30 beginnt Hildebrand den nun unvermeidlichen Zweikampf.

Daß das Gedicht tragisch endet, steht fest. Hildebrand selbst klagt in einer altnordischen Sage, daß er den Sohn wider Willen des Lebens hat berauben müssen. In der um 1250 niedergeschriebenen Thidrekssaga und in dem aus dem 15. Jahrhundert erhaltenen so- 35 genannten jüngeren Hildebrandslied ist der tragische Schluß einem heiteren gewichen. In den jüngeren Fassungen erkennen Vater und Sohn einander, versöhnen sich, und ziehen fröhlich heim, wo Ute, die Mutter, dem Sohn und dem lang ersehnten Gatten ein festliches Gelage bereitet. 40

## WORTSCHATZ

**ab-brechen*** to break off
**altnordisch** Old Norse
**an-bieten*** to offer; **zum Geschenk —** to offer as a gift
**sich an-schicken** to prepare
**der Armring, -e** armlet
**aufeinander-stoßen*** (s) to come upon one another
**den Ausgang entscheiden*** to decide the outcome
**sich aus-söhnen** to become reconciled
**aus-wandern** (s) to emigrate

**(das) Bayern** Bavaria
**berauben** to rob
**sich bereiten** to prepare
**beschreiben*** to describe

**dar-stellen** to portray, to depict
**das Denkmal, -e** *or* **¨er** monument

**ein-tragen*** to enter, to record; *cf.* **tragen*** to carry
**entgehen*** (s) to escape, to get away
**die Entscheidung, -en** decision
**erhalten** extant, preserved
**erkennen*** to recognize; **sich zu — geben*** to reveal one's identity
**erobern** to conquer; **wieder —** to regain
**sich erproben** to test each other
**erscheinen*** (s) to appear
**erschlagen*** to slay; *cf.* **schlagen*** to strike
**erzielen** to achieve
**Etzel** Attila

**die Fassung, -en** version
**feindlich** hostile
**fest-stehen*** to be certain
**sich flüchten** to flee
**die Frage, -n** question; **auf meine —** in answer to my question
**fröhlich** gay, joyful

**die Gabe, -n** offering, gift; *cf.* **geben*** to give
**das Gedicht, -e** poem
**sich gegenüber-treten*** (s) to face one another

**das Gelage, -** banquet; *cf.* **liegen*** to lie
**germanisch** Germanic
**die Gestaltung, -en** version, formulation; *cf.* **gestalten** to shape, to formulate
**gezwungenerweise** necessarily
**die Grenze, -n** boundary, border

**die Handschrift, -en** manuscript
**der Heerkönig, -e** warlord
**sich heim-begeben*** to go (*or* repair to) home
**heim-ziehen*** (s) to go (*or* repair to) home
**heiter** gay
**die Heldendichtung, -en** heroic epic (poetry)
**(sich) heraus-fordern** to challenge (one another)
**herbei-führen** to bring about
**(das) Hessen** Hessia
**das Hildebrandslied** Lay of Hildebrand
**höhnisch** scornful; *cf.* **der Hohn** scorn

**der Inhalt** content

**der Krieger, -** warrior
**kühn** daring, bold

**lassen*** to let; **vom Kampf nicht — wollen*** to refuse to drop the fight *or* desist from combat
**lückenhaft** fragmentary; *cf.* **die Lücke, -n** gap

**merkwürdig** strange, peculiar
**die Mischung, -en** mixture

**mißtrauisch** suspicious, distrustful
**möglicherweise** if possible

**niedersächsisch** Low Saxon
**nieder-schreiben*** to write down
**nördlich** northern

**die Ostgoten** Ostrogoths

**poetisch ein-kleiden** to cast into poetic garb (*or* form)

**das Reich, -e** realm
**die Rückseite, -n** last (*or* back) page
**sich rüsten** to prepare

**die Sage, -n** epic, legend
**das Sagenmotiv, -e** folk motif; **der Sagenkreis, -e** cycle (of legends)
**die Schar, -en** force; throng
**der Schluß, Schlüsse** conclusion, ending
**der Schreiber, -** scribe; *cf.* **schreiben*** to write
**die Sitte, -n** custom; **der — gemäß** as was (*or* according to) the custom
**die Sprachform, -en** form of speech
**stabreimend** alliterative
**der Stifter, -** founder; *cf.* **stiften** to found

**(das) Thüringen** Thuringia
**tragisch** tragic
**trefflich** stout
**trennbar** separable; **untrennbar** inseparable

**überliefert** traditional, handed down
**übermannt** overcome
**um-wandeln in** (w. acc.) to change into
**(das) Ungarn** Hungary
**unvermeidlich** unavoidable; *cf.* **vermeiden*** to avoid

**vermutlich** presumably
**verschmähen** to scorn, to reject
**versöhnen** to reconcile
**der Volksdichter, -** folk poet
**Vorbereitungen treffen*** to make preparations
**die Vorderseite, -n** first (*or* front) page
**vorhanden sein*** (s) to be (present)

**der Waffenmeister, -** master at arms
**der Weg, -e** path, way; **sich einem in den — stellen** to block one's path
**weichen*** (s) to yield, to give way
**wider** against; **— seinen Willen** against his will
**wieder-gewinnen*** to regain
**die Wut** wrath; **der — entgehen*** (s) to escape the wrath

**Zuflucht nehmen* bei** (dat.) to take refuge with
**zurück-kehren** (s) to return
**zurück-lassen*** to leave behind
**zurück-weisen*** to reject
**zuvor** first, prior to it
**der Zweifel, -** doubt; **es besteht kein —** there is no doubt
**der Zweikampf, ⸚e** single combat

## FRAGEN

1. Welchem Sagenkreis entstammt das Hildebrandslied?
2. Wer hat es verfaßt?
3. Wo ist die erhaltene Fassung niedergeschrieben worden?
4. Warum bricht das Gedicht kurz vor dem Ende ab?
5. Welche Rolle spielt Dietrich von Bern in der Geschichte Italiens?
6. Wer war Odoaker?
7. Mit wem zog Dietrich nach Ungarn?
8. Wer regierte damals in Ungarn?
9. Auf wen stieß der heimkehrende Hildebrand?
10. Wie hat der Kampf des Vaters mit dem Sohn geendet?
11. Inwiefern weicht der Schluß des jüngeren Liedes von der älteren Fassung ab?

## STILÜBUNG

(1) Insert a separable verb in each sentence. (2) Replace it with an inseparable verb in (a) the imperfect; (b) the historical perfect.

1. Das Hildebrandslied den Kampf des Vaters mit dem Sohne (beschreiben; darstellen). 2. Ein Volksdichter aus Bayern es vermutlich vor 800 (verfassen; niederschreiben). 3. Dietrich und Hildebrand nach Ungarn (entkommen; auswandern). 4. Nach dreißig Jahren Dietrich mit einem Heer (wieder erscheinen; zurückkehren). 5. An der Grenze die Scharen Dietrichs und Odoakers (sich begegnen; aufeinanderstoßen). 6. Sie sogleich zur Schlacht (sich bereiten; sich anschicken). 7. Zuerst aber zwei der trefflichsten Krieger im Zweikampf (sich erproben; sich gegenübertreten). 8. So man oft eine Entscheidung (erzielen; herbeiführen). 9. Der Sohn die Gabe des Vaters (verschmähen; zurückweisen). 10. Dann der unvermeidliche Zweikampf (beginnen; anfangen).

## FREIE AUFSÄTZE

Schreiben Sie einen kurzen Aufsatz über (a) „Dietrich und Odoaker" oder (b) „Hildebrand und Hadubrand" und bedienen Sie sich möglichst folgender Redewendungen: sich flüchten, Zuflucht nehmen bei, wiedergewinnen, sich einem in den Weg stellen, Vorbereitungen treffen, den Ausgang entscheiden, es besteht kein Zweifel, gezwungenerweise, umwandeln in, sich aussöhnen, sich heimbegeben.

## ÜBERTRAGUNG

1. The Lay of Hildebrand is the Germanic version of the combat between father and son.
2. It was probably written in the second half of the eighth century by a folk poet from Bavaria.
3. The version which has been preserved[1] is a strange mixture of Low German and High German.
4. It is supposed to have been written down around 800 by two monks in the monastery of Fulda.
5. Since they lacked[2] space, the scribes entered the poem on the first and last pages of a theological manuscript.
6. According to it, the famous Dietrich von Bern once fled to Hungary with Hildebrand, his daring master-at-arms,[3] to take refuge with Attila, King of the Huns.[3]
7. Thirty years later he returned to his native land with a large army resolved to regain his realm.
8. Here he was met[4] at the border by Odoacer and his throngs.

[1] *Use an adjectival modifier.* [2] *Use the proper form of* es mangelt mir an. [3] *Adjectival modifiers are preferred to appositives.* [4] *Use an active construction with* entgegentreten* (s).

9. As was the custom, two of the stoutest warriors challenged each other to personal combat prior to the battle.
10. When they stood face to face, the older Hildebrand inquired the name of his opponent.
11. The latter replied proudly that he was Hadubrand, the son of the widely celebrated Hildebrand.
12. Believing his father to be dead, however, he rebuffs Hildebrand distrustfully when the latter reveals his identity to him.
13. He rejects scornfully the golden armlets which Hildebrand offers to him as a gift.
14. Overcome with grief, Hildebrand is now compelled[5] to accept battle.
15. It is now a matter of slaying[6] his own child or being slain by him.
16. Although the fragmentary poem breaks off at his point,[7] the tragic ending of the contest is certain.[8]
17. In an Old Norse saga Hildebrand himself mentions, among the heroes whom he has slain, his own son whom he had been compelled to divest of his life much against his very own will.
18. In later poems, however, the tragic ending has been replaced by a happy one.
19. In these works, stemming from a gentler age, father, mother, and son are happily reunited.

[5] *Use* sich gezwungen sehen*. [6] *Use* jetzt gilt es . . . totzuschlagen. [7] *Use* hier.
[8] *Use* fest-stehen*.

# · 3 ·

# DIE DONAU

## LESESTÜCK

Mit 2900 km Länge ist die Donau (ungarisch Duna) neben der Wolga der zweitgrößte Fluß Europas. Ihre beiden Quellflüsse, die im Schwarzwald entspringen, heißen Breg und Brigach. Von einer eigentlichen Donau ist jedoch erst zu Donaueschingen die Rede, wo die Breg und die Brigach zusammentreten und sich daselbst im 5 Schloßgarten mit einem aus sumpfiger Wiese kommenden Quellbach zu einem Flüßchen vereinigen. Bei Immendingen verschwindet das Flüßchen geheimnisvoll in weiten unterirdischen Höhlen, die unter dem Talboden hinziehen, und tritt erst weiter unten im Tale ebenso plötzlich wieder hervor. 10

Bei Sigmaringen beendet die Donau ihren Oberlauf und fließt dann nordöstlich bis Ulm, wo sie zum eigentlichen Fluß wird. Von hier ab ist sie für kleinere Schiffe und Lastkähne bis 25 Tonnen fahrbar. Zum Strom wird die Donau bei Regensburg, das schon Dampfern bis 650 Tonnen zugänglich ist. Zum großen Strom, an den 15 man denkt, wenn man ihren Namen nennt, wächst die Donau in der Landschaft zwischen dem Lech und der Isar an. Hier strömt sie (ungefähr 235 m breit) mächtig gegen Südosten, links von hohen, rechts von flachen Ufern eingefaßt. Bei Wien ist ihr Gefälle noch so groß, daß man dort die Steine und Steinchen unten auf dem Grund 20 des Stromes soll dahinrollen hören, wenn man in den Wogen der Donau schwimmt und das Ohr auf das Wasser legt. Östlich von Wien eilt die Donau an der Grenze Ungarns und der Slowakei entlang. In Ungarn und Jugoslawien verlangsamt sie ihren Lauf, durchschneidet die Transsylvanischen Alpen und fließt majestätisch durch Rumänien ihrer Mündung im Schwarzen Meere zu.

In den Ländern, die ihr anliegen, hat die Donau schon immer im wesentlichen dem Verkehr gedient. Sie war schon von jeher der natürliche Weg, der den Osten mit dem Westen Europas verbindet, und damit auch die große Heerstraße vom Rhein zum Schwarzen Meer. Die Nibelungen zogen einst längs dieses Stromes ihrem düsteren Schicksal im Hunnenlande entgegen und Attila führte in umgekehrter Richtung donauaufwärts seine Scharen nach Frankreich in den Tod. In neuerer Zeit haben Beethoven und Haydn an ihren Ufern geweilt, haben Mozart und Schubert an ihren Gestaden gewirkt, hat Johann Strauß ihre Wellen besungen.

Interessant ist es, wie der Walzer zustande kam, der allerorts erklingt. Eines Abends kamen Strauß zufällig die Verse des Gedichts „Die blaue Donau“ zu Ohren. Sie gefielen ihm so, daß ihm bald im Geiste eine Melodie zu dem Rhythmus der Worte erklang. Da er kein Papier bei sich hatte, notierte er sie sich mit Bleistift auf die Manschetten. Die Ereignisse des Abends ließen ihn aber den Vorfall vergessen, und der wundervolle Walzer „An der schönen blauen Donau“ wäre vielleicht nie komponiert worden, wenn seine Frau nicht rechtzeitig die Noten auf den schmutzigen Manschetten entdeckt und ihren Mann darauf aufmerksam gemacht hätte.

## WORTSCHATZ

**allerorts** everywhere; *cf.* **der Ort, -e** *or* **¨er** place, hamlet
**an-liegen*** to adjoin
**an-wachsen*** (s) to grow

**aufmerksam** attentive; — **machen auf** (acc.) to call attention to
**auf-schreiben*** to write down

**beenden** to complete, to finish; *cf.* **das Ende, -n** end
**beiseite-legen** to lay aside
**berühmt** famous
**besingen*** to sing of

**dagegen** on the other hand
**dahin-rollen** (s) to roll along
**der Dampfer, -** steamer
**daselbst** there, in the very place
**die Donau** Danube
**donauaufwärts** up the Danube
**durchschneiden*** to cut through
**düster** dismal, somber

**die Ebene, -n** plane
**ebenso** just as
**eigentlich** actual
**eilen** (s) to hasten, to hurry
**ein-fassen** to frame, to border, to line
**einst** once, at one time
**entdecken** to discover
**entfallen*** (s) to fall from; **es entfällt mir** it escapes my mind
**entgegen-ziehen*** (s) to travel to meet
**entlang** along
**entspringen*** (s) to rise, to originate
**das Ereignis, -se** event
**erklingen*** (s) to resound; **im Geiste** — to run through one's mind

**fahrbar** navigable
**führen** to lead; **in den Tod —** to lead to doom

**das Gefälle, -** grade
**geheimnisvoll** mysterious
**gelegen** situated, located
**das Gestade, -** shore

**die Heerstraße, -n** military highway (*or* route)
**hervor-treten*** (s) to emerge; **wieder —** to reappear
**hin-hören auf** (acc.) to listen to
**hin-ziehen*** (s) to pass along
**die Höhle, -n** cave, cavern

**jeher: von —** from time immemorial

**die Landschaft, -en** landscape, terrain
**die Länge, -n** length; *cf.* **lang** long
**der Lastkahn, ⸚e** freighter, barge
**der Lauf, ⸚e** course, speed

**mächtig** mighty
**majestätisch** majestic
**die Manschette, -n** cuff; *cf. French* **manchette** little sleeve
**die Mündung, -en** mouth (of a river); *cf.* **münden** to empty, to spill; to terminate

**natürlich** natural
**die Nibelungen** Nibelungs; *cf.* Lesson 7
**nordöstlich** northeastern
**notieren** to note down

**der Oberlauf, ⸚e** upper reaches (*or* course)

**der Quellbach, ⸚e** brooklet; *cf.* **die Quelle, -n** well, spring, source
**der Quellfluß, -flüsse** source

**rechtzeitig** in time
**die Rede** speech; **es ist die — von** you can speak of

**das Schicksal, -e** fate
**der Schloßgarten, ⸚** garden of the castle
**schmutzig** dirty
**schwimmen*** (h *or* s) to swim
**sollen*** shall; *cf.* **soll man dahinrollen hören** said to be heard rolling along
**das Steinchen, -** pebble
**stromaufwärts** upstream
**strömen** (s) to flow
**sumpfig** swampy; *cf.* **der Sumpf, ⸚e** swamp

**das Tal, ⸚er** valley
**der Talboden, ⸚** bed; *cf.* **der Boden, ⸚** bottom

**umgekehrt** opposite
**ungarisch** Hungarian
**ungefähr** approximately
**unterirdisch** subterranean

**verbinden*** to link
**verdanken** (dat.) to owe to
**sich vereinigen** to unite, to combine
**verlangsamen** to slow down, to reduce; *cf.* **langsam** slow

**verschwinden*** (s) to disappear
**versickern** (s) to seep (into)
**der Vorfall, ¨e** occurrence

**der Walzer, -** waltz
**weilen** to dwell
**die Welle, -n** wave
**wesentlich** essential, in essence
**(das) Wien** Vienna
**wirken** to work, to toil
**die Woge, -n** billow
**die Wolga** Volga

**zufällig** accidentally
**zugänglich** accessible
**zu-hören** to listen to
**zusammen-fließen*** (s) to converge, to flow together
**zusammen-treten*** (s) to meet, to join
**zustande-kommen*** (s) to come about (*or* into existence)
**zweitgrößt** second largest

## FRAGEN

1. Wie lang ist die Donau?
2. Wo entspringt sie?
3. Wohin fließt sie?
4. Durch welche Länder eilt sie?
5. Wo wird sie schiffbar?
6. Wer kann die Steine am Grunde des Flusses dahinrollen hören?
7. Wohin zogen die Nibelungen längs des Stromes?

8. In welcher Richtung führte Attila seine Scharen?
9. Wer hat in neuerer Zeit an den Ufern der Donau geweilt?
10. Wie heißt der Walzer, mit dem Johann Strauß die Donau verherrlicht?
11. Wann ist ihm die Melodie des Walzers eingefallen?
12. Worauf notierte er sie sich damals?
13. Was geschah mit den Manschetten?
14. Wieso wäre der Walzer vielleicht nie komponiert worden?

## STILÜBUNG

(1) Insert the preposition (or adverb) in each sentence. (2) Start each sentence with the word in **bold type.**

1. Von einer eigentlichen Donau ist **erst** Donaueschingen die Rede (at). 2. Das Flüßchen verschwindet **fast ganz** Immendingen (near). 3. Es tritt **weiter** im Tale plötzlich wieder hervor (down). 4. Die Donau fließt **dann** nordöstlich Ulm (as far as). 5. Von hier ab ist sie **für** kleinere Schiffe fünfundzwanzig Tonnen fahrbar (up to). 6. Zum großen Strom wächst die Donau **in** der Landschaft dem Lech und der Isar an (between). 7. Da hört **man** die Steinchen dem Grund des Stromes dahinrollen (on). 8. Die Nibelungen zogen **einmal** der Donau (along). 9. Attila führte **die** Hunnen Frankreich in den Tod (to). 10. In neuerer Zeit hat **Schubert** ihren Gestaden gewirkt (on).

## FREIE AUFSÄTZE

Schreiben Sie einen kurzen Aufsatz über (a) „Der vergessene Walzer“ oder (b) „Aus der Geschichte der Donau“ und bedienen Sie sich dabei möglichst folgender Redewendungen: zusammenfließen, versickern, auf etwas hinhören, einem zuhören, einem etwas verdanken, sich etwas aufschreiben, berühmt machen, einem entfallen, beiseitelegen, stromaufwärts.

## ÜBERTRAGUNG

1. The Danube is the second largest river in Europe.[1]
2. It is almost 1000 km. shorter than the equally famous Volga.
3. The Danube originates in the Black Forest and empties into the Black Sea.
4. It flows northeast from Donaueschingen to Regensburg and southeast from Regensburg to Zimnicea, in Romania, where it turns northeast once more.
5. At Ulm the river is navigable for small ships up to 25 tons and at Regensburg for steamers up to 650 tons.
6. Here the Danube flows between high shores on the left and low shores on the right.
7. In Vienna, they say swimmers can hear the stones rolling along the bottom of the stream.
8. In addition to Germany and Austria, the following countries adjoin the Danube along its winding course: Czechoslovakia, Hungary, Yugoslavia, Bulgaria, and Romania.
9. From time immemorial the Danube has been a natural route linking the East with the West.
10. The Nibelungs once traveled downstream to meet their somber fate in the land of the Huns.
11. Attila led his Huns in [the] opposite direction up the Danube to their doom in France.[2]

[1] *Use* Europas. [2] *Use* nach Frankreich in den Tod.

12. In modern times Beethoven and Haydn dwelt along the shores of the Danube, and Johann Strauss made it famous with his waltz.
13. Do you know how the waltz came into being?
14. One evening Strauss chanced[3] to hear the poem [called] "The Blue Danube."
15. As he (thus) listened, a tune to fit the rhythm of the words began to run through his mind.
16. Since he had no paper with him, Strauss jotted down the notes on his cuffs in pencil.[4]
17. At home he completely forgot[5] the incident and put the soiled cuffs aside.
18. But his wife found them and noticed the notes on them.
19. She immediately called the notes to her husband's attention.
20. If she had not discovered the cuffs in time, the wonderful waltz would perhaps never have been written.[6]

[3] *Use* (einem) zufällig zu Ohren kommen* (s). [4] *Use* mit. [5] *Use the proper form of* der Vorfall entfällt mir. [6] *Use* komponieren.

# · 4 ·

# FRIEDRICH ROTBART

## LESESTÜCK

Friedrich I., dem die Italiener wegen seines rotblonden Bartes den Beinamen Barbarossa (Rotbart) gaben, war einer der größten deutschen Kaiser. Eine überaus starke und dabei liebenswürdige Persönlichkeit, zog er rastlos und unermüdlich durch seine Lande und führte für das
5 Heilige Römische Reich Deutscher Nation eine Zeit starker Macht, stolzen Glanzes und langen Friedens herauf.

Als die Kunde des abermaligen Verlustes der heiligen Stadt Jerusalem nach Deutschland gelangte, nahm der wohl achtundsechzigjährige Kaiser im Jahre 1188 das Kreuz. Schon im folgenden
10 Jahre, dem siebenunddreißigsten seiner langen Regierung, zog er als Führer des dritten Kreuzzugs mit einem Heere von 50000 Rittern und ebensovielen Streitern zu Fuß ins Morgenland. Er sollte jedoch Jerusalem nicht schauen. Am 10. Juni ertrank der heldenhafte Greis in den Fluten des Saleph in der Südostecke Kleinasiens. Manche
15 behaupten, er sei umgekommen, als er in den reißenden Wellen Kühlung suchte. Einige berichten, er sei beim Bade im kühlen Bergstrom vom Schlage getroffen worden. Nach anderer Erzählung soll er, um den Übergang über die schmale Brücke des Saleph zu beschleunigen, sein Roß in die Fluten gesprengt haben, ohne jedoch das
20 andere Ufer lebend zu erreichen.

In der Sage lebt der Kaiser aber fort. Er ist aus der Fremde in die Heimat zurückgekehrt und sitzt tief unten im Kyffhäuser (in Mittel-deutschland) schlafend am steinernen Tisch, durch den sein roter Bart gewachsen ist. Seine Mannen umringen ihn. Auch sie schlafen. Sie schlafen schon seit Jahrhunderten, aber nur wenige haben sie und 25 den Kaiser der Sage nach zu Gesicht bekommen. Von einem Bauern, der oft am Kyffhäuser vorbeigefahren und manches Gebet für die Insassen des Berges gesprochen, wird erzählt, er sei auf dem Wege nach Nordhausen auf einen Zwerg gestoßen. Dieser habe ihn angehalten und in das unterirdische Schloß geführt. Dort habe ihm 30 Barbarossa befohlen, seine Fuhre Weizen auf den Boden auszuleeren und seine Säcke dafür mit lauterem Gold zu füllen.

Indessen Kaiser und Mannen tief unten schlafen, kreisen Raben um den Gipfel des Berges. Mitunter gebietet der Kaiser im Schlaf dem Zwerg nachzusehen, ob die Raben noch um den Berg fliegen. 35 Erst wenn ein Adler sie, die Künder der Zwietracht im Volke, verscheucht, will er aus seinem Schlummer erwachen, aus dem Kyffhäuser hervortreten und seinem Reiche die alte Herrlichkeit zurückbringen.

## WORTSCHATZ

**abermalig** second, repeated; once more
**der Adler, -** eagle
**an-halten*** to stop
**aus-leeren** to empty; *cf.* **leer** empty

**das Bad, ¨er** bath; **beim —** while bathing
**der Bart, ¨e** beard
**behaupten** to maintain, to claim; *cf.* **das Haupt, ¨er** head
**der Beiname (-ns), -n** nickname
**berichten** to report
**beschleunigen** to hasten

**der Boden, ⸚** floor

**dabei** yet, at the same time
**dafür** instead
**dringen*** (s) **nach** (dat.) to reach (of news)

**ebensoviele** as many
**sich erfreuen** to rejoice
**sich erkundigen** to inquire; *cf.* **Kunde** *below*
**erreichen** to reach
**ertrinken*** (s) to drown *cf.* **der Trunk** drink
**die Erzählung, -en** story; *cf.* **zählen** to count

**die Flut, -en** torrent, flood; **die Fluten** waves
**fort-leben** to continue to live, to live on
**die Fremde: aus der —** from abroad
**die Fuhre, -n** cart, load

**das Gebet, -e** prayer; **ein — sprechen*** to say a prayer; *cf.* **bitten*** to ask, to beg
**gelangen** (s) **nach** (dat.) to reach
**das Gesicht, -er** face; **zu — bekommen*** to catch sight of
**der Gipfel, -** summit
**der Glanz** splendor
**der Greis, -e** old man, man gray with age

**die Heimat, -en** home(land)
**heldenhaft** heroic
**herauf-führen** to bring about
**die Herrlichkeit, -en** glory
**hervor-treten*** (s) to step forth

**indessen** while, as
**der Insasse (-n), -n** inhabitant

**(das) Kleinasien** Asia Minor
**kreisen** (s) to circle; *cf.* **der Kreis, -e** circle
**das Kreuz, -e** cross; **das — nehmen*** to take up the cross
**der Kreuzzug, ¨-e** crusade
**kühl** cool; **Kühlung suchen** to try to cool off
**die Kunde, -n** news; **der Künder, ¨** messenger; *cf.* **kennen*** to know
**der Kyffhäuser** Kyffhäuser (*a mountain in Central Germany*)

**das Land, -e** domain, realm; *cf.* **das Land, ¨-er** land, country
**lauter** pure
**das Leben** life; **das — verlieren*** to lose one's life; **ums — kommen*** (s) to perish; **lebend** alive
**liebenswürdig** charming

**die Mannen** (*poetic plural of* **der Mann**) men, vassals
**mitunter** from time to time
**das Morgenland** Orient

**nach-sehen*** to check (to see)

**die Persönlichkeit, -en** personality

**der Rabe (-n), -n** raven
**rastlos** restless, ceaseless
**die Regierung, -en** reign
**reißend** swift-flowing, rapid; *cf.* **reißen*** to tear
**der Ritter, -** knight; *cf.* **reiten*** to ride
**das Roß, Rosse** horse

**rotblond** light reddish

**der Sack, ⸚e** sack
**der Saleph** Seleph (*the modern name is* Kalykadnos)
**schauen** to see, to behold
**der Schlag, ⸚e** blow; **vom — getroffen werden*** (s) to suffer (*or* have) a stroke
**der Schlaganfall, ⸚e** stroke
**der Schlummer** slumber
**schmal** narrow
**sollen*** to be destined
**sprengen** to blow up, to blast; to gallop; *cf.* **springen*** (s) to jump
**steinern** of stone
**stolz** proud
**stoßen*** to push; — (s) **auf** (acc.) to come upon
**der Streiter, -** warrior; **— zu Fuß** footsoldier
**die Südostecke, -n** southeast corner

**überaus** extremely, unusually
**der Übergang, ⸚e** crossing; *cf.* **der Gang, ⸚e** walk, gait; *cf.* **gehen*** (s) to go
**um-kommen*** (s) to perish
**umringen** to surround
**unermüdlich** tireless; *cf.* **müde** tired
**unterwegs** underway

**sich verbreiten** to spread
**verscheuchen** to frighten away, to disperse
**vorbei-fahren*** (s) to drive past
**vorbei-kommen*** (s) to come past

**der Weg, -e** way; **sich auf dem — befinden*** to be on the way;
**sich auf den — machen** to start (*or* set) out
**der Weizen** wheat
**die Welle, -n** wave

**von Zeit zu Zeit** from time to time
**zurück-bringen*** to bring back
**zurück-kehren** (s) to return
**der Zwerg, -e** dwarf
**die Zwietracht** discord

## FRAGEN

1. Wen nannten die Italiener Rotbart?
2. Weswegen gaben sie ihm diesen Beinamen?
3. Wie lange regierte Friedrich Barbarossa?
4. Wann starb er?
5. Wie ist er ums Leben gekommen?
6. Wo ist er der Sage nach?
7. Wo sind seine Mannen?
8. Wer soll den Kaiser im Kyffhäuser gesehen haben?
9. Wonach erkundigt sich der Kaiser von Zeit zu Zeit?
10. Wann wird er erwachen?

## STILÜBUNG

(1) Change all indirect statements and commands into clauses beginning with "daß." (2) Change all indirect statements and commands into direct statements and commands.

1. Manche behaupten, er sei in den Wellen umgekommen. 2. Einige berichten, er sei vom Schlag getroffen worden. 3. Es heißt jedoch, er lebe immer noch. 4. Es wird erzählt, der Bauer sei auf einen Zwerg gestoßen. 5. Man sagt, der Zwerg habe ihn in ein unterirdisches Schloß geführt. 6. Barbarossa befahl ihm, seine Fuhre Weizen auszuleeren. 7. Er sagte zu ihm, er solle seine Säcke mit Gold füllen. 8. Der Kaiser gebot dem Zwerg nachzusehen, ob die Raben noch um den Berg flögen.

## FREIE AUFSÄTZE

Schreiben Sie einen kurzen Aufsatz über (a) „Barbarossas Ende" oder (b) „Barbarossa im Kyffhäuser" und bedienen Sie sich möglichst folgender Redewendungen: sich erfreuen, vorbeikommen, sich auf dem Weg befinden, unterwegs, sich verbreiten, dringen nach, sich auf den Weg machen, ums Leben kommen, das Leben verlieren, von Zeit zu Zeit, an der Spitze, an einem Schlaganfall sterben, sich erkundigen.

## ÜBERTRAGUNG

1. Frederick I of Hohenstaufen had[1] a strong but pleasant personality.
2. During his reign from 1152 to 1190 Germany enjoyed a long period of peace.
3. When news of the loss of the Holy City [of] Jerusalem reached Germany, he took [up] the cross in 1188.
4. He gathered an army of 50,000 knights and as many foot soldiers.
5. At the head[2] of this army Frederick then set out for the Holy Land.

[1] *Use* war. [2] *See Vocabulary.*

6. However, he was not to[3] behold the Holy City.
7. He drowned in a mountain stream in the southeast corner of Asia Minor.
8. Some claim that he perished while[4] bathing in the rapid waves of the Seleph.
9. Others report that he suffered[5] a stroke in the water.
10. Still others relate that he lost his life while crossing the river.
11. But he continues to live in the legends of the German people.
12. He sits in a subterranean castle in the Kyffhäuser and sleeps.
13. Although he has now been sleeping[6] for centuries, few persons have ever caught sight of him.
14. A peasant who had said many a prayer for the inhabitants of the mountain is supposed to have come upon a dwarf on his way to Nordhausen.
15. The latter [is said to have] stopped him and led him into the subterranean castle.
16. There Barbarossa commanded[7] him to empty his load of wheat on the floor and to fill his sacks instead with pure gold.
17. As the emperor and his men sleep, ravens circle the top of the mountain.
18. From time to time the emperor inquires in his sleep whether the ravens are still there.
19. Only when they have been dispersed by an eagle will he awaken from his slumber.
20. Then he will emerge from the Kyffhäuser and bring back to his realm the glory of old.

[3] *Use a modal auxiliary.* [4] *Use* beim. [5] *Use* vom Schlage getroffen werden* (s).
[6] *Use the present tense.* [7] *Use the subjunctive of indirect discourse.*

# • 5 •

# RICHTER FUCHS

## LESESTÜCK

Eines schönen Tages hatte sich eine große giftige Schlange in ein Loch nahe bei einem steilen Felsen gelegt, um daselbst ihren Mittagsschlaf zu halten. Kaum war sie eingeschlafen, als sich ein furchtbarer Sturm erhob und einen großen Stein vom Felsen loslöste. Beim Absturz kam dieser so vor dem Loch zu liegen, worin die Schlange schlief, daß er die Öffnung völlig versperrte und das Tier trotz allen Mühens nicht mehr herauskonnte.

Nach zwei Tagen kam ein lustiger Wandersmann wohlgemut des Weges und hörte das Jammern der Schlange. Auf seine Frage klagte sie ihm bitterlich ihr Leid und bat ihn innigst, er möchte doch den Stein hinwegwälzen und sie aus ihrem Kerker befreien. Der Mann hatte Erbarmen mit dem Tier und erfüllte ihm nach einigem Zögern die Bitte. Sobald die Schlange aber frei war, drohte sie, ihren Wohltäter zu töten und ihn zu verschlingen. Der Wanderer erschrak. Er überlegte rasch, wie das Übel abzuwenden sei und sprach: „Liebe Schlange, ist es recht von dir, Wohltat mit Übeltat zu vergelten? Wenn du aber auf deinem Vorhaben bestehst, so gedulde dich doch wenigstens so lange, bis jemand kommt, der zwischen dir und mir richte."

Indessen kam ein Fuchs daher. Dem trugen die beiden ihre Sache nun vor und baten ihn, zwischen ihnen Richter zu sein. Der schlaue Fuchs behauptete jedoch, er könne aus ihren Worten nicht klug werden und bestand darauf, die Sache an Ort und Stelle zu untersuchen. „Die Schlange soll mir zeigen", sagte er, „wie sie gelegen hat, und der Wanderer, wie er den Stein hinweggewälzt hat. Alsdann 25 will ich das Urteil sprechen."

Der Kläger und die Angeklagte gaben sich damit zufrieden, und alle drei gingen nun nach dem Orte zurück, wo der Wanderer die Schlange aufgefunden hatte. Diese legte sich wieder in das Loch und dieses wurde von neuem mit dem Steine verlegt. „Nun gut", 30 meinte darauf der Fuchs. „Jetzt ist alles wieder so, wie es zu Anfang gewesen ist. Will nun der Wanderer, so mag er den Stein zum zweitenmal wegnehmen, und will die Schlange, so mag sie den Wanderer verschlingen." Da wurde der Wanderer froh, dankte dem klugen Fuchs für sein gerechtes Urteil und eilte schnell seines Weges. Die 35 boshafte, undankbare Schlange aber mußte zugrundegehen, denn es kam niemand mehr, der Lust hatte, sie zu befreien.

## WORTSCHATZ

**der Absturz, ¨e** crash, fall
**ab-wenden*** to avert; *cf.* **winden*** to wind
**alsdann** then
**der Angeklagte** (adj. decl.) defendant; *cf.* **klagen** to complain; *cf.* **Kläger** *below*
**aus-ersehen*** to choose, to select

**befreien** to free
**sich begeben*** to go
**behaupten** to maintain, to assert
**sich besinnen*** to think over; **sich eines andern —** to change one's mind

**bestehen* auf** (dat. *or* acc.) to insist on
**bitterlich** bitterly
**boshaft** malicious
**büßen** to atone for

**daher-kommen*** (s) to come along
**daselbst** there
**drohen** to threaten

**einverstanden** agreed, in agreement
**das Erbarmen** mercy, pity; *cf.* **sich erbarmen** to have mercy, to take pity
**erfüllen** to fulfill; *cf.* **füllen** to fill; *cf.* **voll** full
**ergehen*** (s) to be issued; **wie erging es ihm** what became of him
**sich erheben*** to arise; *cf.* **heben*** to lift, to raise
**erschrecken*** (s) to become frightened

**der Felsen, -** rock
**furchtbar** fearful; *cf.* **fürchten** to fear

**sich gedulden** to be patient; *cf.* **die Geduld** patience
**der Gefallen** favor
**gerecht** just
**giftig** poisonous; *cf.* **das Gift, -e** poison

**heraus-können*** to be able to get out
**hinweg-wälzen** to roll away

**indessen** meanwhile
**innig** hearty, ardent; — **bitten*** to plead with

**jammern** to wail

**der Kerker, -** prison
**der Kläger, -** plaintiff; *cf.* **Angeklagte** *above*
**klug werden*** (s) **aus** (dat.) to make anything out of
**kriechen*** (s) to creep

**das Leid** sorrow; *cf.* **leiden*** to suffer
**das Loch, ⸚er** hole
**los-lösen** to dislodge; *cf.* **lösen** to solve, to dissolve
**lustig** merry

**das Mitleid** pity; — **haben*** to take pity
**der Mittagsschlaf** noonday nap
**sich mühen** (*or* **ab-mühen**) to toil, to struggle; **trotz allen Mühens** despite all efforts; *cf.* **die Mühe** effort

**neu** new; **von —em** anew, once more

**die Öffnung, -en** opening; *cf.* **öffnen** to open
**der Ort, -e** *or* **⸚er** place; **an — und Stelle** right on the spot

**richten** to judge; *cf.* **der Richter, -** judge

**die Sache, -n** thing; case; **der — nachgehen*** (s) to look into the matter
**die Schlange, -n** snake; *cf.* **schlingen*** to sling, to loop
**schlau** cunning, sly
**der Sinn, -e** sense; **einem in den — kommen*** (s) to occur to someone

**sobald** as soon as
**sprachlos** speechless; **— vor Schreck** speechless with fright
**steil** steep

**das Übel, -** evil
**die Übeltat, -en** evil (deed)
**überlegen** to reflect
**überreden** to persuade
**undankbar** ungrateful
**untersuchen** to investigate
**das Urteil, -e** judgment, verdict; **das — sprechen*** to pass judgment; **das — lautet** the verdict is

**vergelten*** to repay; *cf.* **gelten*** to hold true, to be valid
**verlegen** to block, to obstruct
**vernehmen*** to hear
**verschlingen*** to devour, to consume
**versperren** to block, to obstruct
**völlig** complete
**das Vorhaben, -** purpose, intention
**vortragen*** to present
**vorzeigen** to demonstrate

**der Wandersmann** traveler
**weiter-eilen** (s) to hurry on
**wohlgemut** gaily
**die Wohltat, -en** good (deed); *cf.* **der Wohltäter** benefactor

**zögern** to hesitate
**sich zufrieden geben*** to be content
**zugrunde-gehen*** (s) to perish

## FRAGEN

1. Wo hielt die Schlange ihren Mittagsschlaf?
2. Warum konnte sie nicht mehr heraus, als sie erwachte?
3. Wer wälzte den Stein von der Öffnung hinweg?
4. Was drohte die Schlange zu tun?
5. Wozu überredete der Wanderer die Schlange?
6. Wen ersahen sie zum Richter aus?
7. Worauf bestand der Fuchs?
8. Wohin begaben sich somit alle drei?
9. Wie lautete das Urteil des Fuchses?
10. Was tat der Wanderer, als er das Urteil vernahm?
11. Wie erging es der Schlange?

## STILÜBUNG

Replace the infinitive with "um . . . zu" and "ohne . . . zu" by means of (1) a dependent clause, and (2) a "denn" clause with "wollen" wherever possible. Example: Eine Katze kroch in einen Keller, um dort Mäuse zu fangen. Eine Katze kroch in einen Keller, (1) damit sie dort Mäuse fange, (2) denn sie wollte dort Mäuse fangen.

1. Eine Schlange hatte sich in ein Loch gelegt, um dort zu schlafen. 2. Um sich aus ihrem Kerker zu befreien, bemühte sie sich, den Stein wegzuwälzen. 3. Ohne sich vor der giftigen Schlange zu fürchten, erfüllte der Wandersmann ihre Bitte. 4. Aber die Schlange drohte, ihren Wohltäter zu verschlingen. 5. Um Zeit zu gewinnen, schlug der Wanderer vor, die Sache einem dritten vorzutragen. 6. Um gerecht zu urteilen, bestand der Fuchs darauf, die Sache an Ort und Stelle zu untersuchen. 7. Die Schlange kroch wieder ins Loch, um dem Fuchs

zu zeigen, wie sie gelegen hatte. 8. Niemand hatte Lust, die Schlange wieder zu befreien.

## FREIE AUFSÄTZE

Schreiben Sie einen kurzen Aufsatz über (a) „Wer leicht traut, wird leicht betrogen“ oder (b) „Wohltat ist gar bald vergessen“ und bedienen Sie sich dabei möglichst folgender Redewendungen: mit jemand(em) Mitleid haben, sich seiner erbarmen, einem den Gefallen tun, sprachlos vor Schreck sein, Gutes mit Bösem vergelten, sich eines andern besinnen, der Sache nachgehen, einverstanden sein mit, einem in den Sinn kommen, mit dem Tode büßen.

## ÜBERTRAGUNG

1. Once upon a time a large snake lay down in a hole near a steep cliff to take its noonday nap (there).
2. It had scarcely fallen asleep when a storm arose and dislodged a rock from the cliff.
3. When the rock rolled down, it blocked the hole so that the snake could not get out.
4. Two days later a traveler came that way.[1]
5. The snake pleaded with him to roll away the stone.
6. After some[2] hesitation the traveler took pity and fulfilled its request.
7. As soon as the snake was free, however, it threatened to kill and devour its benefactor.

[1] *Use the adverbial genitive* des Weges. [2] *Use* einig.

8. At first the traveler was speechless with terror.
9. Then he told the snake that it was wrong (of it) to repay good with evil.
10. He begged the snake to be patient at least until someone came along who might judge between them.
11. As they were talking, a fox came along.
12. The two presented their case to him and requested him to judge between them.
13. The sly fox agreed, but he insisted on[3] establishing the facts right on the spot.
14. "The snake must show me," he said, "how it lay, and the traveler how he rolled away the stone."
15. All three now went back to the place where the traveler had found the snake.
16. Here the latter crawled back into the hole, and it was once more blocked with the stone.
17. "All right," said the fox, "everything is again as it was in the beginning.
18. If the traveler now wishes, he may remove the stone a second time, and if the snake then wishes, it may devour the traveler."
19. The traveler was delighted with the verdict, thanked the fox, and hurried on quickly.
20. The snake, however, had to perish, for no one else had any desire to liberate the ungrateful animal.

[3] *Anticipate the next clause with* darauf.

# · 6 ·

# MIETEN UND VERMIETEN

## LESESTÜCK

In uralten Zeiten boten Höhlen dem Menschen Schutz gegen die Unbilden der Witterung. Wo es ihm an Höhlen mangelte, errichtete er sich Zelte, Grubenhütten und dergleichen Unterschlüpfe. Heutzutage verhält sich die Sache weit komplizierter. Stehen ihm genügende 5 Mittel zur Verfügung, so ist er vor die Wahl gestellt, sich ein eigenes Haus zu bauen, oder das Bauen einem andern zu überlassen und sich ein fertiges Haus käuflich zu erwerben.

Im ersteren Falle kauft er sich dann erst ein Grundstück, wenn er nicht schon eines besitzt, dessen Lage, sei es auf dem Lande oder in 10 der Stadt, seinen persönlichen und geschäftlichen Anforderungen sowie denen seiner Familienangehörigen weitmöglichst entspricht. Hierauf läßt er Pläne anfertigen und Kostenanschläge einholen, um den eventuellen Preis des beabsichtigten Baues im voraus zu ermitteln. Ist all das zufriedenstellend erledigt und die behördliche 15 Baubewilligung eingeholt worden, so kann es ans Bauen gehen, ans Getümmel auf dem Bauplatze, dem auch ein Goethe schöne Seiten abzugewinnen wußte. Ob der Bauherr dabei unumgänglich zur sprichwörtlichen Überzeugung gelangt, daß nur Narren Häuser bauen und daß Kluge sie kaufen, bleibe dahingestellt. Eines steht jedoch 20 fest: Das Bauen ist zeitraubend und viele ziehen es schon deshalb vor, sich zu einem Hause zu bequemen, das ein anderer, wenn auch nicht ganz ihren Bedürfnissen entsprechend, erbaut hat.

Doch nicht jeder kann sich ein Haus kaufen, geschweige denn eines bauen. In beschränkteren Verhältnissen ist der Mensch zufrieden, wenn er ein Haus, wo nicht eine bescheidene Wohnung mit 25 zwei oder drei Zimmern mit Bad mieten kann. Von Nachbarn, mit denen er gut auskommen muß und von denen er oft weit abhängiger ist, als es seine Urvorfahren je voneinander gewesen, ist er im Mietshaus und im Einzelhaus umringt.

Ist er Hausbesitzer und somit angeblicher König in seinem 30 eigenen Haus, so muß er dennoch Steuern entrichten. Hat er beim Kauf eine Hypothek auf sein Grundstück oder sein Haus aufgenommen, so ist er gezwungen, Zinsen für die Hypothek zu zahlen. Vermietet er sein Haus an andere, so machen ihm außerdem Mietverträge, Kündigungen und allerhand kleine Unannehmlichkeiten von 35 Zeit zu Zeit zu schaffen. Ist er dagegen Mieter, so läuft er bei Wohnungsknappheit Gefahr, auf die Straße geworfen zu werden. Ob er nun mietet oder vermietet, den Wohnungsproblemen unserer Zivilisation entgeht heute kaum ein Mensch.

## WORTSCHATZ

**die Abgabe, -n** excise, tax; **—n entrichten** to pay taxes

**ab-gewinnen*** to win from; **abzugewinnen wissen*** to know how to appreciate

**abhängig von** (dat.) dependent upon; *cf.* **unabhängig von** independent of

**allerhand** all sorts of

**an-bieten*** to offer; **ein Obdach —** to offer shelter

**an-fertigen** to prepare, to make

**die Anforderung, -en** demand, requirement; *cf.* **fordern** to demand

**angeblich** ostensible, alleged

**auf-nehmen*** to receive; **eine Hypothek —** to take a mortgage
**aus-kommen*** (s) to get along

**der Bau, -ten** building; *cf.* **bauen** to build
**die Baubewilligung, -en** building permit
**der Bauherr (-n), -en** owner
**der Bauplatz, ⸚e** building site
**beabsichtigen** to intend
**das Bedürfnis, -se** need, necessity, want
**sich begnügen** to be content
**behördlich** official; *cf.* **die Behörde, -n** authorities
**sich bequemen zu** to put up with, to make the best of
**bescheiden** modest
**beschränkt** limited; **—e Verhältnisse** modest circumstances
**besitzen*** to possess
**betreffen*** to concern
**bieten*** to bid, to offer

**dahin-stellen** to leave up to; **lassen wir das dahingestellt sein** let us not go into that; **dahingestellt bleiben*** (s) to be (*or* remain) subject to debate
**dergleichen** (the) like

**ein-holen** to get, to secure, to obtain
**das Einzelhaus, ⸚er** single home
**entgehen*** (s) to escape
**entrichten** to pay (of taxes, fees, etc.)
**entsprechen*** to meet (needs)
**erledigen** to absolve, to accomplish
**ermitteln** to determine, to discover
**errichten** to erect

**erst** first; — **recht nicht** certainly not, less than ever
**erwerben*** to earn, to acquire; **käuflich —** to purchase
**eventuell** possible

**der Familienangehörige** (adj. decl.) family member
**fest: eines steht fest** one thing is certain

**die Gefahr, -en** danger; — **laufen*** (s) to run the risk
**gehen*** (s) to go; **dann kann es ans Bauen —** then (the) building (process) can start
**genügend** sufficient; *cf.* **genug** enough
**geschäftlich** business (like)
**geschweige** (denn) let alone, not to mention
**das Getümmel** hustle and bustle
**die Grubenhütte, -n** (circular) sunken hut, dugout
**das Grundstück, -e** plot of land

**der Hausbesitzer, -** homeowner
**hausen** to dwell
**heutzutage** nowadays
**hierauf** thereupon
**die Hypothek, -en** mortgage

**im voraus** in advance

**käuflich** for sale
**kompliziert** complicated
**der Kostenanschlag, ⸚e** estimate
**die Kündigung, -en** notice to vacate

**die Lage, -n** position, location; *cf.* **liegen*** to lie

**mangeln** (impers. w. dat.) to lack, to be lacking; **es mangelt mir** I lack
**mieten** to rent (as a tenant)
**das Mietshaus, ⸚er** apartment house
**der Miet(s)vertrag, ⸚e** lease
**Mittel** (pl.) means

**der Narr (-en), -en** fool; **jemanden einen —en schelten*** to call someone a fool

**das Obdach** shelter

**schaffen*** to create; **zu — machen** (dat.) to cause trouble, to bother
**schelten*** to scold, to call (names)
**der Schutz** protection; *cf.* **schützen** to protect
**sicher** certain
**somit** hence, consequently
**sprichwörtlich** proverbial; *cf.* **das Sprichwort, ⸚er** proverb
**die Steuer, -n** tax
**auf die Straße geworfen werden*** (s) to be evicted

**überlassen*** to leave to
**die Überzeugung** conviction
**umringen** to surround
**die Unannehmlichkeit, -en** unpleasantness; **— bereiten** to cause unpleasantness
**die Unbilden** hardships
**der Unterschlupf, ⸚e** shelter; *cf.* **schlüpfen** (s) to slip
**unumgänglich** inevitably
**uralt** primeval
**der Urvorfahr, -en** primeval ancestor

**die Verfügung, -en** disposal; **zu — stehen*** (dat.) to be at the disposal (of)
**sich verhalten*** to be
**das Verhältnis, -se** circumstance
**vermieten** to rent (to a tenant)
**von vornherein** anew, afresh; at the outset
**vor-ziehen*** to prefer

**die Wahl, -en** choice; **vor die — stellen** to confront with the choice of
**weitmöglichst** as far as possible
**die Witterung, -en** weather; *cf.* **das Wetter** weather
**die Wohnungsknappheit** housing shortage; *cf.* **knapp** scant, scarce

**zeitraubend** time-consuming
**das Zelt, -e** tent
**der Zins, -en** interest
**zufrieden-stellen** to satisfy

## FRAGEN

1. Wo hauste der primitive Mensch?
2. Wo wohnen Leute jetzt?
3. Wer baut sich Häuser?
4. Was tun Leute, die das Bauen zu zeitraubend finden?
5. Wen schilt das Sprichwort einen Narren?
6. Wozu holt man Kostenanschläge ein?
7. Womit begnügen sich Leute in beschränkteren Verhältnissen?
8. Was für Abgaben müssen Hausbesitzer entrichten?
9. Von wem sind Mieter oft abhängig?
10. Wen betreffen die heutigen Wohnungsprobleme?

## STILÜBUNG

(1) Translate the words in parentheses. (2) In sentences 3 to 10 change the singular subject to the plural or vice versa.

1. Es stehen (him, the home owner, the members of his family) genügende Mittel zur Verfügung. 2. Es mangelt (me, us, them, modern man) an Höhlen. 3. Ich errichte (for her, my tenant, my mother-in-law) ein Zelt. 4. Er überläßt (us, to his son, to the authorities) das Bauen. 5. Wir kaufen (you, us, our children) ein Grundstück. 6. Das Haus entspricht (their, my, our, all) Anforderungen. 7. Er glaubt, daß (we, you, tenants, fools and wise men) keine Steuern entrichten. 8. Sie mieten (them, for themselves, for their children) eine Wohnung. 9. (They, home owners, the neighbors) vermieten uns ihr Haus. 10. Den Wohnungsproblemen entgehe auch (I) nicht.

## FREIE AUFSÄTZE

Schreiben Sie einen kurzen Aufsatz über (a) „Der Hausbesitzer“ oder (b) „Der Mieter“ und bedienen Sie sich dabei möglichst folgender Redewendungen: Schutz finden, ein Obdach anbieten, von vornherein, in der Lage sein, einem etwas vermieten, sich mit etwas begnügen, Abgaben entrichten, jemanden einen Narren schelten, einem Unannehmlichkeiten bereiten, sicher sein, erst recht nicht.

## ÜBERTRAGUNG

1. Primitive man[1] dwelt in caves.
2. Where he found no caves, he built (himself) tents or huts.

[1] *Use the definite article.*

3. Nowadays, things are far more complicated.
4. If he has the means (to do so),[2] man first buys a parcel of land.
5. Then the plans are drawn and submitted to the authorities.
6. Once the building permit has been obtained, (the) building can actually begin.
7. But (the) building is very time-consuming.
8. Therefore, wealthy people sometimes prefer to buy their homes.
9. He who cannot build[3] or buy a home rents[3] one.
10. Of course, not[4] everyone is in a position even[4] to rent a whole house.
11. (The) most people must content themselves with a modest apartment.
12. Wherever they live, these people are almost surrounded by neighbors with whom they must get along.
13. Indeed, they are far more dependent upon their neighbors than[5] their primeval ancestors ever were.
14. Though he be (the) proverbial king in his own home, the owner must nevertheless pay taxes.
15. If he has taken a mortgage on his home, he has to pay interest on the mortgage.
16. If a homeowner lets his home to[6] others, he subjects himself to[7] many inconveniences.
17. On the other hand, every tenant runs [the] risk of being evicted.
18. The landlord may raise his rent[8] or give him notice if he is[9] not bound by a lease.
19. The tenant must often accommodate himself to an apartment that does not quite meet his requirements.
20. In short, nobody escapes housing problems in our civilization.

[2] *Use* dazu. [3] *Germans prefer a (dative) reflexive construction.* [4] *Use* nicht einmal jeder. [5] *Insert* es. [6] *Use* an *with the accusative.* [7] *Use* bereiten *in a dative reflexive construction.* [8] *Use* einem die Miete steigern. [9] *Use* wenn ihn kein Mietvertrag bindet.

· 7 ·

# DAS NIBELUNGENLIED

## LESESTÜCK

In Burgund zu Worms am Rhein erwuchs einst eine edle Jungfrau namens Kriemhild in der Obhut ihrer früh verwitweten Mutter Ute und ihrer königlichen Brüder Gunther, Gernot und Giselher. Trotz der stillen Abgeschiedenheit, in der sie lebte, drang die Kunde von 5 ihrer bezaubernden Schönheit bald in alle Lande. Auf der Burg Xanten im Niederland hörte Siegfried, der Sohn des Königs Siegmund und der Königin Sieglinde, von Kriemhilds Schönheit und beschloß, sie nötigenfalls durch Gewalt zu gewinnen.

Köstlich ausgerüstet ritt der herrlichste der Helden mit seinen 10 Mannen nach Worms. Hagen, König Gunthers treuester und tapferster Dienstmann, wußte, daß Siegfried den Drachen erschlagen und in dessen Blut seine Haut zu Horn gebadet hatte. Er wußte auch, daß Siegfried den finsteren Mächten, den Nibelungen, ihren unermeßlichen Schatz abgewonnen und dem Zwerg Alberich die unsichtbar machende 15 Tarnkappe entrissen hatte, und riet seinem Herrn daher zur freundlichen Aufnahme. Nach einjähriger Warte- und Probezeit gelobte Gunther dem kühnen Siegfried seine Schwester. Und nachdem dieser ihm insgeheim geholfen hatte, die wunderbar schöne und übernatürlich starke Königin Brunhild auf Island im Speerwerfen, Steinwurf und 20 Sprung zu besiegen und sie als Braut heimzuführen, wurde doppelte

Hochzeit gefeiert. Darauf kehrte Siegfried mit Kriemhild in seine Heimat zurück, wo ihm der Vater die Krone abtrat.

Nach Verlauf von zehn Jahren des Glückes und des Friedens entbot Gunther den Schwager und die Schwester zum Sonnenwendfeste zu sich nach Burgund. In einem Streite um den Vorrang ihrer 25 Gatten, zu dem es dabei kam, beleidigte die von Brunhild gereizte Kriemhild ihre Schwägerin so tief, daß Hagen schwor, seine Herrin blutig zu rächen. In geheuchelter Sorge um Siegfried entlockte er der arglosen Kriemhild das Geheimnis der einzigen verwundbaren Stelle ihres Gatten zwischen den Schultern und durchbohrte diesen hinter- 30 rücks mit dem Speere, als er nach der Jagd sich durstig zur Quelle neigte. Um Kriemhild auch ihres Anhangs zu berauben, den sie mit dem herbeigeschafften Nibelungenhorte gewinnen könnte, versenkte Hagen diesen in den Rhein.

Kriemhild lebte fortan nur noch zwei Gedanken: der Trauer um 35 ihren geliebten Gemahl und der Rache an seinem Mörder. So vergingen dreizehn Jahre. Da starb des Hunnenkönigs Gemahlin Helche und Etzel entsandte den Markgrafen Rüdiger von Bechlaren, um die edle Kriemhild zu werben. Erst nachdem ihr dieser versprochen hatte, wieder gut zu machen, was man ihr je getan, willigte sie ein, ins 40 Hunnenland zu ziehen.

Nach abermals dreizehn Jahren bewog sie Etzel, ihre Brüder auf Sonnenwend einzuladen. Obwohl Hagen abriet, zogen die Könige mit großem Gefolge doch zum Feste. Rüdiger von Bechlaren und Dietrich von Bern fanden sich mit ihren Mannen auch ein. Von Kriemhild 45 angestachelt gerieten nun die Helden aneinander und es entstand ein furchtbarer Kampf, bei dem alle, denen der Fluch des Nibelungenhortes anhaftete, ums Leben kamen.

# WORTSCHATZ

**abermals** again; **nach — dreizehn** after thirteen more
**die Abgeschiedenheit** seclusion; *cf.* **abgeschieden** isolated; *cf.* **scheiden*** to separate, to part
**abgewinnen*** (dat.) to win from
**ab-raten*** to advise (*or* warn) against (something)
**ab-stehen*** to desist; to give up
**ab-treten*** to relinquish (in favor of); **— an** (acc.) to relinquish to
**aneinander geraten*** (s) to come to blows; *cf.* **geraten*** (s) to get into
**an-haften** to cling (to); *cf.* **haften** to be attached (to); **habhaft werden*** to get hold of
**der Anhang** following, support; *cf.* **der Anhänger, -** follower, supporter
**an-raten*** to advise (to do); **auf sein Anraten hin** on his advice
**an-stacheln** to egg on; *cf.* **der Stachel, -** sting
**arglos** unsuspecting, innocent
**die Aufnahme, -n** reception; *cf.* **auf-nehmen*** to receive, to take in
**aus-rüsten** to equip; *cf.* **die Ausrüstung, -en** equipment

**bedrücken** to depress
**beleidigen** to insult; *cf.* **das Leid, -en** injury, harm, suffering
**berauben** to deprive; *cf.* **der Raub** robbery
**beschließen*** = **sich entschließen*** to resolve; **der Entschluß, Entschlüsse** resolution
**besiegen** to defeat; *cf.* **der Sieg, -e** victory
**der Besitz -e** possession
**bewegen** to move; to prevail over
**bezaubern** to charm; *cf.* **der Zauber, -** magic, charm

**dagegen-raten*** to counsel against
**der Dienstmann, Dienstleute** vassal; *cf.* **dienen** to serve; *cf.* **der Dienst** service
**der Drache (-n), -n** dragon
**durchbohren** to pierce

**sich ein-finden*** to appear, to be present
**ein-willigen** to consent
**zu sich entbieten*** to summon, to invite; *cf.* **der Bote (-n), -n** messenger
**entlocken** to elicit; **jemandem ein Geheimnis —** to entice a secret from someone
**entreißen*** (dat.) to snatch away (from)
**entstehen*** (s) to come about
**erregen** to arouse
**ersuchen** to request
**erwachsen*** (s) = **auf-wachsen*** (s), **heran-wachsen*** (s) to grow up
**erwerben*** to acquire; *cf.* **der Erwerb** gain, earnings; *cf.* **die Erwerbung, -en** acquisition

**finster** dark, obscure, sinister; *cf.* **die Finsternis, -se** darkness
**der Fluch, ¨e** curse; *cf.* **verflucht** damned; *cf.* **fluchbeladen** accursed
**fortan** henceforth
**der Friede (-ns)** peace; *cf.* **friedlich** peaceful

**der Gatte (-n), -n** husband; *cf.* **die Gattin, -nen** wife
**der Gedanke (-ns), -n** thought; *cf.* **denken*** to think
**das Gefolge** following, retinue
**geheim** secret; *cf.* **das Geheimnis, -se** secret

**geloben** to vow, to promise, to pledge; *cf.* **das Gelöbnis, -se** promise; **sich verloben** to become engaged
**der Gemahl, -e** husband; *cf.* **die Gemahlin, -nen** wife
**die Gewalt, -en** force

**die Haut, ⸚e** skin
**heim-führen** to lead home
**der Held (-en), -en** hero
**heran-wachsen*** (s) to grow up
**herbei-schaffen** to produce, to fetch; *cf.* **schaffen*** to create
**heucheln** to feign; *cf.* **die Heuchelei, -en** hypocrisy
**hinterrücks** from behind; *cf.* **der Rücken, -** back
**die Hochzeit, -en** wedding; — **halten*** to be wed
**der Hort, -e** treasure; hoard

**insgeheim** secret(ly); *cf.* **heimlich** pertaining to (*or* within the confines of) the home, secret

**die Jagd, -en** hunt

**köstlich** exquisite; *cf.* **die Kosten** expenses
**kühn** bold
**die Kunde** news; *cf.* **kennen*** to know

**Leben: ums Leben kommen*** (s) to perish

**der Markgraf (-en), -en** margarve (a count, or "Graf," ruling over a border area, or "Mark")
**der Mörder, -** murderer; *cf.* **der Mord, -e** murder

**sich neigen** to bend, to incline

**das Nibelungenlied** Lay of the Nibelungs (*a heroic epic by an unknown German author; probably completed during the first years of the thirteenth century*)
**nötigenfalls = wenn nötig;** *cf.* **die Not, ¨e** need, necessity

**die Obhut = der Schutz, die Pflege;** *cf.* **hüten** to guard, to protect

**die Quelle, -n** spring

**rächen** avenge; *cf.* **die Rache** revenge
**raten*** advise; *cf.* **der Rat, Ratschläge** counsel
**reizen** irritate

**der Schatz, ¨e** treasure; hoard
**der Schwager, ¨** brother-in-law; *cf.* **die Schwägerin, -nen** sister-in-law; *cf.* **der Schwiegervater, ¨** father-in-law
**schwören*** to swear; *cf.* **der Schwur, ¨e** oath
**sinnen* auf** (acc.) to think of
**die Sonnenwende, -n** ("turning of the sun") solstice
**die Sorge, -n** care, concern; *cf.* **sich sorgen (um)** to worry, to care (about)
**das Speerwerfen** throwing of the javelin *or* spear
**der Sprung, ¨e** (broad) jump; *cf.* **springen*** (s) to jump
**der Steinwurf, ¨e** stone throwing, shot put
**die Stelle, -n** spot
**der Streit, -e** quarrel; **in einen — geraten*** (s) to get into a quarrel

**die Tarnkappe, -n** magic hood (*or* mantle)
**die Trauer** mourning; *cf.* **trauern** to mourn; *cf.* **traurig** sad

**übereinander her-fallen*** (s) to fall upon each other

**übernatürlich** supernatural, miraculous; *cf.* **die Natur** nature
**unsichtbar** invisible; *cf.* **sichtbar** visible; *cf.* **sehen*** to see
**unermeßlich** immense, immeasurable; *cf.* **das Maß, -e** measure

**vergehen*** (s) to pass; *cf.* **die Vergangenheit** past
**der Verlauf** lapse, course (of time); *cf.* **laufen* (s)** to run
**versenken** to lower, to submerge; *cf.* **sinken*** (s) to sink
**versprechen*** to promise; *cf.* **das Versprechen** promise
**verwitwet** widowed; *cf.* **die Witwe, -n** widow
**verwundbar** vulnerable; *cf.* **verwunden** to injure, to wound; *cf.* **die Wunde, -n** wound
**der Vorrang** precedence, priority

**die Wartezeit** period of waiting; *cf.* **die Probezeit** period of probation
**werben* (um)** to woo, to court
**widerstehen*** (dat.) to resist

**zürnen** (dat.) to be angry with; *cf.* **der Zorn** anger
**der Zwerg, -e** dwarf

## FRAGEN

1. Wo wuchs die schöne Kriemhild heran?
2. Wie hießen ihre Brüder?
3. Was beschloß Siegfried, als er von ihrer Schönheit hörte?
4. Wen hatte Siegfried erschlagen?
5. Wem hatte er die Tarnkappe entrissen?
6. Was hatte er den Nibelungen abgewonnen?
7. Warum riet Hagen zur freundlichen Aufnahme Siegfrieds?

8. Wann gab König Gunther dem kühnen Siegfried seine Schwester zur Frau?
9. Wie kam Siegfried ums Leben?
10. Wen heiratete dann Kriemhild?
11. Wie rächte sie sich an Hagen?
12. Wer wird für das furchtbare Los der Burgunden verantwortlich gemacht?

## STILÜBUNG

(1) Supply the missing article or possessive adjective ( ). (2) Use the verbs in parentheses to eliminate the datives. Example: Der Drache konnte ( ) kühnen Helden nicht widerstehen (besiegen). Der Drache konnte dem kühnen Helden nicht widerstehen. Der Drache konnte den kühnen Helden nicht besiegen.

1. Siegfried hatte ( ) Nibelungen ihren Schatz abgewonnen (einer Sache berauben). 2. Hagen riet ( ) Herrn zu warten (bitten). 3. Gunther gelobte ( ) kühnen Siegfried seine Schwester (erinnern an). 4. Siegfried half insgeheim ( ) Herrn (fragen). 5. Der Vater trat ( ) Sohn die Krone ab (abtreten an). 6. Es kam zu ( ) Streit (erregen). 7. Hagen zürnte ( ) arglosen Kriemhild (hassen). 8. Kriemhild lebte fortan nur ( ) Rache (sinnen auf). 9. Rüdiger versprach ( ) trauernden Kriemhild, das Unrecht wiedergutzumachen (ersuchen). 10. ( ) Nibelungen haftete der Fluch des Hortes an (bedrücken).

## FREIE AUFSÄTZE

Schreiben Sie einen kurzen Aufsatz über (a) „Siegfrieds Abenteuer“ oder (b) „Hagens Treue“ und bedienen Sie sich dabei möglichst folgender Redewendungen: in einen Streit geraten, heranwachsen, im Besitz sein, auf sein Anraten hin, freundlich aufnehmen, Hochzeit halten, im geheimen, dagegenraten, von etwas abstehen, übereinander herfallen.

## ÜBERTRAGUNG

1. At Worms on the Rhine [there] once grew up in the care of her three royal brothers a fair maiden named Kriemhild.
2. When Siegfried, the son of King Siegmund, heard of her beauty, he resolved to win her by force, if necessary.
3. He feared no one, for he had slain the dragon and bathed in its[1] blood.
4. He now also possessed the accursed treasure of the Nibelungs and the magic hood which he had wrested from the mighty dwarf Alberich.
5. Upon[2] Hagen's advice Siegfried was therefore received very cordially by Gunther.
6. After one year King Gunther promised him the hand of his sister.
7. In return Siegfried helped him with[3] the wooing of the beautiful and strong Brunhild.
8. After both couples were wed,[4] Siegfried returned home to Xanten with Kriemhild where they lived happily and in peace.
9. After ten years had elapsed,[5] Gunther invited his brother-in-law and his sister to a festival at[6] Worms.
10. At the festival the two queens fell[7] to quarreling bitterly over[8] the precedence of their husbands.

[1] *Use* dessen. [2] *Use* auf . . . hin. [3] *Use* bei. [4] *Use the active voice of* Hochzeit halten*. [5] *Use* nach Verlauf von zehn Jahren. [6] *Use* nach. [7] *Use* in einen bitteren Streit geraten*. [8] *Use* um.

11. And Kriemhild offended her sister-in-law so deeply that Hagen vowed to avenge his weeping mistress.
12. Feigning concern[9] over[8] Siegfried's safety, Hagen persuaded the unsuspecting Kriemhild to divulge to him the one place where[10] her husband was vulnerable.
13. Then he pierced Siegfried treacherously with his own[11] spear as he bent down to drink from the well.
14. Kriemhild guessed immediately what had happened and accused Hagen of the heinous deed.
15. Henceforth, she thought of[12] nothing but revenge.
16. She was still thinking of it thirteen years later when Attila asked her to marry him.[13]
17. After thirteen more years[14] she persuaded Attila to invite her brothers to Hungary.
18. When they arrived there with Hagen, Kriemhild called on Attila's men[15] to avenge her.
19. A fierce battle resulted at which all heroes lost their lives.[16]
20. The curse of the hoard had brought about their destruction.

[9] *Use* in geheuchelter Sorge. [10] *Translate* where at *or* which. [11] *Use* dessen eigenem. [12] *Use* nur noch an Rache. [13] *Use* um sie anhielt. [14] *Use* nach abermals dreizehn Jahren. [15] *Use* Mannen. [16] *Cf.* Lesestück.

# · 8 ·

## DIE HANSE

### LESESTÜCK

„Hanse“ oder „Hansa“ bedeutete ursprünglich eine Art Gemeinschaft. Im Althochdeutschen bezeichnete das Wort einen Bund oder eine Schar, auch eine bewaffnete Schar. Im frühen Mittelalter wurde daraus eine Schar (von Kaufleuten) in der Fremde. Seit dem dreizehnten
5 Jahrhundert ist Hanse der Eigenname für den Bund der norddeutschen Handelsstädte Lübeck und Hamburg, dem sich bald Bremen und dann andere Städte in rascher Folge zugesellten. In neuzeitlichen Zusammensetzungen wie „Lufthansa“ ist es der Name großer Unternehmungen.

10 Die Anfänge der Hanse sind im Bedürfnis gemeinsamer Vertretung, Förderung und Sicherung des deutschen Kaufmanns und Schiffers im Ausland und im Inland zu suchen. So fanden sich wohl schon im zwölften Jahrhundert Niederlassungen deutscher Ostseefahrer in Wisby, Bergen und Nowgorod von dem rasch aufblühenden
15 Lübeck geschützt und ihm unterstellt. Um dieselbe Zeit schlossen sich die deutschen Kaufleute in Flandern zusammen und die Kölner erwarben ein eigenes Haus in London, Gildehalle genannt, und erhielten das Recht, dort eine eigene Genossenschaft, eine Hanse, zu bilden.

20 Mit der zweiten Hälfte des dreizehnten Jahrhunderts wurde es der geschwächten Kaisergewalt des Römischen Reichs Deutscher Nation immer schwieriger, den öffentlichen Frieden aufrecht-

zuerhalten. Ein überhandnehmendes Raubritter- und Seeräubertum machte einen leistungsfähigen Schutz unentbehrlich. Dies nötigte die großen Handelsstädte, sich zur Deckung der von ihnen benutzten 25 Handelsstraßen zu verbinden und auf gemeinschaftliche Kosten Heere zu sammeln und Flotten zu rüsten. Im Jahre 1285 stifteten diese Städte — es waren alle bedeutenden Städte an der Nord- und Ostsee, verstärkt durch den Zutritt der wichtigsten norddeutschen Binnenstädte — die „deutsche Hanse", deren Macht 1361 ihren Höhepunkt 30 erreichte. In der Blütezeit umfaßte die Hanse mehr als hundert Städte. Die südliche Grenze ging von Dinant (in Belgien) über Köln und Erfurt bis Breslau und Krakau, an der Nord- und Ostseeküste von Gröningen (in den Niederlanden) bis Reval (der Hauptstadt Estlands).

Die Hanse vermittelte den Warenaustausch von Rußland und 35 Polen mit Norddeutschland, den skandinavischen Ländern sowie mit Flandern und England. Sie brachte aus den slawischen Ländern Pelze, Häute, Wachs, Honig, Getreide und Holz und bezog aus den westlichen Ländern Fische, Wollstoffe und die Produkte des Orients. Die in Deutschland erstarkende Fürstengewalt zwang die Binnenstädte, 40 sich schon vor 1500 vom Bund loszusagen. Die Erstarkung der Randstaaten der Ostsee und Englands im folgenden Jahrhundert beschleunigte den Niedergang der Hanse, deren Auflösung im Dreißigjährigen Krieg erfolgte.

## WORTSCHATZ

**althochdeutsch** Old High German
**die Art, -en** kind
**auf-blühen** (s) to blossom forth, to develop, to grow
**die Auflösung, -en** dissolution; *cf.* **auf-lösen** to dissolve
**aufrecht erhalten*** to maintain

**(das) Ausland** foreign country; **im —** abroad

**bedeuten** to signify, to mean
**das Bedürfnis, -se** need, necessity
**bei-stehen*** to assist
**sich belaufen*** to amount (to)
**benutzen** to use, to make use of
**beschleunigen** to hasten, to accelerate
**bewaffnen** to arm
**bezeichnen** to designate; *cf.* **das Zeichen** sign
**beziehen*** to import; **sich — auf** (acc.) to refer to
**die Binnenstadt, ¨e** inland town
**die Blütezeit, -en** height of development, "flowering"
**der Bund, ¨e** league

**die Deckung** protection; *cf.* **decken** to cover, to shield, to protect

**der Eigenname (-ns), -n** proper name
**entbehren** to do without
**erfolgen** (s) to take place, to occur
**erhalten*** to receive, to obtain
**erstarken** (s) to grow strong
**sich erstrecken** to extend
**erwerben*** to acquire
**(das) Estland** Esthonia

**finden*** to find; **es — sich** there are to be found
**die Flotte, -n** fleet
**die Folge, -n** succession
**die Förderung** promotion; *cf.* **fördern** to advance, to foster, to promote
**fremd** strange; **in der Fremde** abroad

**die Fürstengewalt** power of the princes

**gegenseitig** mutual
**gemeinsam** common; **die Gemeinschaft** community, company
**gemeinschaftlich** common
**die Genossenschaft, -en** association, guild, league
**die Gesamtzahl, -en** total number *or* figure
**das Getreide, -** grain

**die Handelsstadt, ⸚e** business town, commercial center
**die Handelsstraße, -n** trade route
**die Hauptstadt, ⸚e** capital
**die Haut, ⸚e** skin
**der Höhepunkt, -e** climax, peak
**der Honig** honey

**im Inland** at home

**der Kaufmann, Kaufleute** merchant

**leistungsfähig** effective; *cf.* **die Leistungsfähigkeit, -en** capacity
**sich los-sagen** to renounce, to leave

**das Mittelalter** Middle Ages

**neuzeitlich** recent, modern
**der Niedergang** decline
**die Niederlassung, -en** settlement, depot
**nötigen** to compel

**der Ostseefahrer, -** Baltic trader
**die Ostseeküste, -n** Baltic coast

**der Pelz, -e** fur
**(das) Polen** Poland

**der Randstaat, -en** border state
**rasch** quick, rapid
**der Raubritter, -** robber baron
**das Recht** right
**(das) Rußland** Russia
**rüsten** to equip

**sammeln** to assemble
**die Schar, -en** group, band
**der Schiffer, -** skipper
**schützen** to protect; *cf.* **der Schutz** protection
**schwächen** to weaken
**das Seeräubertum** piracy
**die Sicherheit** security; — **gewähren** to afford security
**die Sicherung** security, protection
**stiften** to found, to establish
**südlich** southern

**überhand-nehmen*** to spread
**umfassen** to include
**unentbehrlich** indispensable; *cf.* **entbehren** to do (*or* be) without
**unsicher machen** to undermine the security of
**die Unternehmung, -en** enterprise
**unterstellt** subject to
**ursprünglich** originally; *cf.* **springen*** (s) to jump

**vermögen*** to be able

**vermitteln** to mediate, to facilitate
**verstärken** to strengthen
**die Vertretung, -en** representation; *cf.* **vertreten*** to represent; *cf.* **treten*** (s) to step, to tread

**das Wachs** wax
**der Warenaustausch** exchange of goods
**der Wollstoff, -e** woolens

**sich zusammen-finden*** to gather, to convene
**sich zusammen-setzen aus** (dat.) to be composed of
**die Zusammensetzung, -en** compound
**sich zusammen-schließen*** to join together
**sich zu-gesellen** to join
**der Zutritt** affiliation; access

## FRAGEN

1. Was bedeutete das Wort „Hanse" ursprünglich?
2. Wann bezeichnete es „Bund" oder „Schar"?
3. Auf was für eine Schar bezog es sich im frühen Mittelalter?
4. In welchem Jahrhundert wurde Hanse der Eigenname für den Bund der norddeutschen Handelsstädte Lübeck und Hamburg?
5. Wie viele Städte umfaßte die Hanse im vierzehnten Jahrhundert?
6. Wie hoch beläuft sich die Gesamtzahl der jemals zur Hanse gerechneten Städte?
7. Warum mußten sich die großen Handelsstädte verbinden?
8. Zwischen welchen Ländern vermittelte die Hanse den Handel?
9. Welche Waren bezog die Hanse aus dem Osten?

10. In welchem Jahrhundert setzte der Niedergang der Hanse ein?
11. Was beschleunigte diesen Niedergang?
12. Wann erfolgte die Auflösung des Hansebundes?

## STILÜBUNG

(1) Supply the missing adjective. (2) Substitute the reflexive verb in parentheses.

1. In (modern) Zusammensetzungen ist „Hanse" der Name großer Unternehmungen (sich beziehen auf). 2. Andere (North German) Handelsstädte traten dem Bunde bei (sich zugesellen). 3. Im (twelfth) Jahrhundert gab es Niederlassungen deutscher Ostseefahrer in Wisby (sich finden). 4. Um dieselbe Zeit traten die (German) Kaufleute in Flandern zusammen (sich zusammenschließen). 5. Sie erwarben ein (own) Haus (sich kaufen). 6. In der Blütezeit umfaßte die Hanse mehr als (hundred) Städte (sich zusammensetzen aus). 7. Die (southern) Grenze ging von Dinant bis Reval (sich erstrecken). 8. Die (growing) Fürstengewalt zwang die Binnenstädte aus dem Bund auszuscheiden (sich lossagen von).

## FREIE AUFSÄTZE

Schreiben Sie einen kurzen Aufsatz über (a) „Das Werden der Hanse" oder (b) „Das Wirken der Hanse" und bedienen Sie sich möglichst folgender Redewendungen: sich gegenseitig beistehen, sich zusammenfinden, kurz darauf, ungefähr damals, es vermögen, das Heilige Römische Reich Deutscher Nation, auf eigene Kosten, Sicherheit gewähren, ein stehendes Heer, unsicher machen.

## ÜBERTRAGUNG

1. Originally Hansa probably meant community.
2. In Old High German it signified either an armed or an unarmed group.
3. At the beginning of the Middle Ages the word applied to a group of merchants abroad.
4. In the thirteenth century one meant by Hansa especially the league of the North German cities of Lübeck, Hamburg, and Bremen.
5. In 1285 the most important cities along the North Sea and the Baltic formed the "German Hansa."
6. In time many other cities joined this league.
7. It also included the larger inland towns, such as Breslau, Berlin, Magdeburg, and Cologne.
8. To protect their commercial routes against robber barons and pirates, these cities gathered armies and equipped fleets at common cost.
9. The Hansa even waged war against kings and princes.
10. At the height of its power[1] in the fourteenth century the Hansa included more than 100 cities.
11. The total number of all the cities belonging to the Hansa at one time or another[2] runs to 164.
12. In the North the Hanseatic towns extended from Groningen, in the Netherlands, to Reval, in Esthonia.
13. The cities of Dinant, Cologne, Erfurt, Breslau, and Cracow formed the southern boundary.
14. The Hansa facilitated an[3] exchange of wares between the East and the West.

[1] *Use* als ihre Macht . . . ihren Höhepunkt erreichte. [2] *Use* aller jemals zur Hanse gerechneten Städte. [3] *Use the definite article.*

15. Wares from Russia and Poland were thus marketed in the Scandinavian countries, in North Germany, and in England.
16. From the Slavic countries the Hansa imported hides, wax, honey, grain, and wood.
17. The West, on the other hand, exported fish, woolen fabrics, and the products of the Orient.
18. The decline of the Hansa set in prior to 1500, when the German princes forced the inland towns to withdraw from the league.
19. The ascendance of the border states in the following century accelerated its decline.
20. The Hansa was finally dissolved during the Thirty Years' War.

# · 9 ·

# MARTIN LUTHER

## LESESTÜCK

Martin Luther wurde am 10. November 1483 in Eisleben geboren, einem Städtchen in der Provinz Sachsen unweit von Eisenach. Sechs Monate nach seiner Geburt siedelten Martins Eltern nach Mansfeld über, wo der heranwachsende Knabe seine erste Schulbildung (1488-1497) erhielt. Im Jahre 1497 schickten diese ihr zweitältestes von 5 acht Kindern nach Magdeburg zu den Franziskanern in die Schule. Ein Jahr darauf zog Martin nach Eisenach, um die dortige Lateinschule (1498-1501) zu besuchen und seine vorbereitenden Studien abzuschließen, denn der Vater, der sich vom Bergmann zum angesehenen Hüttenpächter und Gemeinderat aufgeschwungen, und 10 der Sohn waren einig, daß dieser die amtliche Laufbahn einschlagen, etwa Stadtschreiber werden sollte.

Den Reformator ließ der schüchterne Martin keineswegs erwarten, als er 1501 die hohe Schule von Erfurt bezog. Auf der Universität, die damals noch eine Hochburg der Scholastik war, studierte 15 er erst in der philosophischen Fakultät und bestand 1505 das Magisterexamen. Dann wandte er sich der Rechtswissenschaft zu. Im Sommer desselben Jahres bewogen ihn der Tod eines Freundes und eigne Todesgefahr bei einem furchtbaren Gewitter, die Jurisprudenz mit der Theologie zu vertauschen und gegen den Willen seines Vaters in 20 das Erfurter Augustinerkloster zu treten. Hier zeichnete er sich durch Eifer und Wissen aus und wurde bald zum Priester bestimmt. Ein Jahr

nach der Priesterweihe (1507) wurde der noch seelisch ringende Mönch nach Wittenberg versetzt. An der neuen Hochschule, welche
25 Friedrich der Weise im Jahre 1502 gegründet hatte, setzte Luther seine theologischen Studien fort und las über Moralphilosophie. 1512 promovierte er daselbst zum Doktor der Theologie und übernahm als Nachfolger des Generalvikars Johann von Staupitz die Professur der Bibelerklärung in Wittenberg.

30 Ohne sich noch eines grundsätzlichen Gegensatzes gegen die Kirche bewußt zu sein, gelangte Luther in den nächsten paar Jahren zu der aus Paulus geschöpften Gewißheit, daß das Heil allein auf Gottes Gnade beruhe. Daraus entfaltete sich seine reformatorische Überzeugung, die (1517) in den 95 Thesen gegen den Ablaß ihren
35 ersten berühmten Niederschlag fand, in drei programmatischen Schriften des Jahres 1520 völlig zum Durchbruch kam und zu einem endgültigen Bruch mit Rom führte.

Luthers größte literarische Tat ist die Übersetzung der Bibel, mit der er der neuhochdeutschen Schriftsprache zum Sieg in ganz Deutsch-
40 land verhalf.

## WORTSCHATZ

**der Ablaß, Ablässe** indulgence; *cf.* **lassen*** to let

**ab-schließen*** to conclude

**amtlich** official; **—e Laufbahn** public career; *cf.* **das Amt, ¨er** office

**angesehen** prominent; *cf.* **das Ansehen** esteem

**die Aufmerksamkeit lenken auf** (acc.) to call attention to

**sich auf-schwingen*** to rise to the rank (*or* position) of

**der Ausdruck, ¨e** expression; **zum — kommen*** (s) to find expression

**sich aus-zeichnen** to distinguish oneself

**bauen auf** (acc.) to depend upon
**der Bergmann, Bergleute** miner
**beruhen auf** (acc.) to be based on, to lie in
**bestehen*** to pass (an examination)
**bestimmen zu** (dat.) to destine for
**besuchen** to visit, to attend; **der Besuch, -e** visit
**bewegen*** to move
**bewußt** conscious, aware; **ich bin mir dessen** — I am aware of it
**beziehen*** to go to, to enter
**die Bibelerklärung** biblical exegesis
**bringen*** to bring; **es zu etwas** — to amount to something, to get somewhere
**der Bruch, ¨e** break

**deuten auf** (acc.) to point to
**dortig** there
**der Durchbruch, ¨e** breakthrough; **zum — kommen*** (s) to break through, to come to the fore

**der Eifer** zeal
**einig sein*** (s) to be agreed
**ein-schlagen*** to strike; **eine Laufbahn** — to enter upon a career
**endgültig** final; *cf.* **gültig** valid; **ungültig** void
**sich entfalten** to develop
**erwarten** to expect

**fort-setzen** to continue

**die Geburt, -en** birth; *cf.* **gebären*** to bear, to give birth to

**der Gegensatz, ⸚e** opposition; contrast
**der Gemeinderat, ⸚e** councilman, alderman
**der Generalvikar, -e** vicar general
**die Gewißheit** certainty, conviction
**das Gewitter, -** storm
**die Gnade** mercy, grace
**gründen** to found; *cf.* **der Grund, ⸚e** ground
**grundsätzlich** basic

**das Heil** salvation
**heran-wachsen*** (s) to grow up
**die Hochburg, -en** stronghold
**die Hochschule, -n** *or* **die hohe Schule, -n** institute of higher learning
**der Hüttenpächter, -** lessee (*or* operator) of smelting furnaces

**keineswegs** by no means

**lesen*** to read, to lecture

**der Nachfolger, -** successor
**neuhochdeutsch** New High German
**der Niederschlag, ⸚e** precipitation, crystallization

**Paulus** St. Paul
**der Priester, -** priest; **zum — aus-ersehen*** to select for the priesthood
**die Priesterweihe, -n** ordination
**der Professor, Professoren** professor; **zum — ernennen*** to appoint professor; **als — an eine Universität rufen*** to offer (*or* appoint to) a chair at a university
**die Professur, -en** professorship, chair

**programmatisch** programmatic
**promovieren** to graduate

**die Rechtswissenschaft** jurisprudence
**sich richten gegen** (acc.) to turn against
**ringen*** to struggle

**die Scholastik** scholasticism
**schöpfen** to draw (water)
**die Schrift, -en** treatise
**die Schriftsprache, -n** written (*or* standard *or* literary) language
**schüchtern** bashful, shy
**die Schulbildung** education
**seelisch** spiritual; *cf.* **die Seele, -n** soul, spirit
**der Stadtschreiber, -** town clerk
**das Studium, Studien** study; **dem — obliegen*** to pursue one's studies

**die Tat, -en** deed, accomplishment; *cf.* **tun*** to do
**der Tod, -e** death
**die Todesgefahr, -en** mortal danger

**überein-kommen*** (s) to come to an agreement, to agree
**übernehmen*** to take over
**die Übersetzung, -en** translation
**über-siedeln** (s) to move
**die Überzeugung, -en** conviction; *cf.* **überzeugen** to convince
**unweit** not far

**verhelfen* zu** (dat.) to help to; **zum Sieg —** to help to gain a victory, to help establish

**versetzen** to transfer
**vertauschen** to exchange
**vor-bereiten** to prepare

**sich zu-wenden*** (dat.) to turn to

## FRAGEN

1. Wo wurde Luther geboren?
2. Was sollte er werden?
3. Wie alt war er, als er die hohe Schule zu Erfurt bezog?
4. Wann bestand er das Magisterexamen?
5. In welchem Jahre promovierte er zum Doktor der Theologie?
6. Worüber las er in Erfurt?
7. Wann gelangte er zu der Überzeugung, daß das Heil allein auf Gottes Gnade beruhe?
8. Wogegen richteten sich seine 95 Thesen?
9. Was kam in seinen programmatischen Schriften des Jahres 1520 zum Durchbruch?
10. Was übersetzte Luther ins Deutsche?

## STILÜBUNG

(1) Make two sentences out of one. Example: Schiller wurde 1759 im Städtchen Marbach in Württemberg geboren. Schiller wurde 1759 in Marbach geboren. Marbach ist ein Städtchen in Württemberg. (2) Expand each sentence by means of a subordinate clause. Example: Das Städtchen, in dem Schiller geboren wurde, heißt Marbach. Marbach ist ein Städtchen, das in Württemberg liegt.

1. Martin Luther wurde 1483 in Eisleben geboren, einem Städtchen unweit von Eisenach. 2. Sechs Monate nach seiner Geburt siedelten Martins Eltern nach Mansfeld über, wo der Knabe die erste Schulbildung erhielt. 3. Ein Jahr darauf zog Martin nach Eisenach, um die dortige Lateinschule zu besuchen. 4. Der Vater, der sich vom Bergmann zum Hüttenpächter aufgeschwungen hatte, war mit der Wahl seines Sohnes einverstanden. 5. Auf der Universität, die damals noch eine Hochburg der Scholastik war, studierte er erst in der philosophischen Fakultät. 6. Ohne sich eines grundsätzlichen Gegensatzes gegen die Kirche bewußt zu sein, gelangte er zu der aus Paulus geschöpften Überzeugung.

## FREIE AUFSÄTZE

Schreiben Sie einen kurzen Aufsatz über (a) „Luthers Bildung" oder (b) „Luthers Werdegang" und bedienen Sie sich dabei möglichst folgender Redewendungen: es zu etwas bringen, auf etwas deuten, dem Studium obliegen, die Aufmerksamkeit lenken auf, bauen auf, zum Ausdruck kommen, zum Priester ausersehen, sich richten gegen, übereinkommen, zum Professor ernennen, als Professor an eine Universität berufen.

## ÜBERTRAGUNG

1. Martin Luther was born on November 10, 1483, in Eisleben, a small town not far from Eisenach.
2. The growing boy received his early schooling in (the) near-by Mansfeld.

3. When Luther's father had acquired some modest means,[1] he sent his second-oldest son to[2] the Latin schools in Magdeburg and Eisenach.
4. Father and son were agreed that Martin should enter upon a[3] public career.
5. Young[4] Luther was not quite[5] eighteen years of age when he entered the University of Erfurt in[6] 1501.
6. Four years later he passed his examinations for the degree of Master of Arts.[7]
7. Now "the philosopher," as[8] his fellow students called him, turned to the study of law.
8. However, spiritual misgivings soon moved him to abandon his legal studies,[9] [much] against the will of his father, and to devote himself to the study of (the) theology.
9. In the summer (of the year) 1505 he joined the Augustinian Order at Erfurt,[10] where his zeal and his knowledge attracted[11] the attention of his superiors.[12]
10. One year after his ordination Luther was called to the newly founded University of[13] Wittenberg.
11. Here he continued his theological studies and at the same time taught[14] moral philosophy.
12. The following year he was called back to Erfurt to lecture[14] on dogmatics.
13. Several months after his return from a visit to Rome, Luther received[15] his degree of doctor of theology at Wittenberg.
14. There in 1513 Luther became professor of biblical exegesis.

[1] *Use* es zu einigem Wohlstand bringen. [2] *Use* in die. [3] *Use the definite article.* [4] *Use with the definite article.* [5] *Use* noch keine volle. [6] *Use* im Jahre. [7] *Use* das Magisterexamen. [8] *Use* so nannten . . . [9] *Use the singular.* [10] *Use* Erfurter *in an attributive position.* [11] wo . . . die Aufmerksamkeit . . . auf sich lenkten. [12] *Use* die Ordens-Oberen. [13] *Use* zu. [14] *Use* lesen* über. [15] *Use* zum Doktor der Theologie promovieren.

15. As yet he was not conscious of any[16] basic opposition to the Church.
16. But as he studied St. Paul, he became convinced that salvation lay[17] only in[18] God's mercy.
17. That induced him to nail up on the door of the Schlosskirche in Wittenberg his 95 theses against (the) indulgences in 1517.
18. It led to the three polemic treatises of the year 1520 and to a final break with Rome.
19. Luther's greatest literary accomplishment was his translation of the Bible from the Hebrew and the Greek.
20. It helped establish the New High German language throughout all [of] Germany.

[16] *Use* ein. [17] *Use the present subjunctive of* beruhen. [18] *Use* auf.

# · 10 ·

# DIE ERSTE PERÜCKE

## LESESTÜCK

Philipp der Gute (1396-1467), Herzog von Burgund und der Vater Karls des Kühnen (1433-1477), hatte während einer langen Krankheit in seiner Jugend all sein Haar verloren. Das war für ihn sehr betrüblich, da er, um das Herz seiner Braut, Isabella von Portugal, zu gewinnen,
5 gar zu gern schön erschienen wäre. In seiner Not nahm Philipp Zuflucht zu einem Samtkäppchen, mit dem er den Mangel an Haaren zu verdecken suchte. Der Hof, der immer alles schön findet, was der Herr tut, beeilte sich, diese neuartige Tracht Philipps nachzuahmen, und die Belgier staunten nicht wenig, als sie den gesamten Hofstaat mit
10 geschorenen Köpfen und schwarzen Samtkäppchen in Brüssel einziehen sahen.

Eines Tages stattete Isabella ihrem Bräutigam einen Besuch ab. Am Abend fand sie sich mit Philipp zu einem langen Gespräch zusammen. Durch eine unvorsichtige Wendung fiel jedoch im Verlaufe
15 der Unterhaltung die schwarze Samtkappe dem Herzog vom Kopf. Beim Anblick des würdigen Hauptes, das so ganz seiner Zierde beraubt war, konnte die Infantin sich eines lauten Lachens nicht erwehren. Beleidigt und beschämt stand der Herzog anfangs wie versteinert da, dann raffte er sich zusammen und verließ eilends die nunmehr ver-
20 blüffte Prinzessin.

Am folgenden Tage ließ der Herzog dann durch Vermittlung eines Hofbeamten demjenigen einen hohen Preis aussetzen, der Rat zu schaffen wüßte, wie dem Mangel an Haaren abgeholfen werden könne. Nicht lange darauf meldete sich ein Barbier und verlangte vorgelassen zu werden. Unter dem Arme trug er einen Leinensack, 25 mit dem er sehr geheimnisvoll tat. In der Gegenwart des staunenden Hofbeamten, der die Vermittlung übernommen hatte, zog er nun daraus eine Art von Käppchen hervor, das mit langen Haaren versehen war: die erste Perücke. Entzückt versprach der Beamte dem Barbier eine reiche Belohnung und überbrachte Philipp sofort das 30 eigentümliche Käppchen.

Noch am selben Abend ließ der Herzog einen prachtvollen Ball veranstalten, wozu ganz Brüssel eingeladen wurde. Als sich die Gäste eingefunden hatten, erschien Philipp diesmal zur Verwunderung aller nicht im Samtkäppchen, sondern in herrlichstem, langem blondem 35 Haar.

## WORTSCHATZ

**ab-helfen*** (dat.) to remedy
**ab-statten** to render; **einen Besuch —** to pay a visit
**der Anblick** sight
**aus-gehen*** (s) to go out; **das Haar geht mir aus** I am losing my hair
**aus-setzen** to offer; **einen Preis —** to offer a prize

**der Barbier, -e** barber
**sich beeilen** to hasten
**beleidigen** to offend
**der Belgier, -** Belgian
**die Belohnung, -en** reward
**die Braut, ⸚e** bride, fiancée

**der Bräutigam, -e** bridegroom, fiancé
**(das) Brüssel** Brussels
**beschämen** to shame; *cf.* **sich schämen** to be ashamed
**der Besuch, -e** visit; **auf —** on a visit
**betrüblich** sad; *cf.* **trüb** turbid, cloudy; **betrübt** sad

**diesmal** this time

**eigentümlich** unique, odd, peculiar; *cf.* **das Eigentum, ¨er** property
**sich ein-finden*** to arrive, to appear
**ein-laden*** to invite
**ein-ziehen*** (s) to enter
**sich enthalten*** (gen.) to keep (from)
**entzückt** delighted
**erscheinen*** (s) to appear
**sich erwehren** to refrain (from)

**gar zu gern** only too gladly
**die Gegenwart** presence
**geheimnisvoll** mysterious; **— tun*** to act mysteriously
**gesamt** entire
**das Gespräch, -e** conversation; *cf.* **sprechen*** to speak
**die Glatze, -n** bald spot
**der Glatzkopf, ¨e** bald head

**das Haar, -e** hair; **das — geht mir aus** I am losing my hair
**der Herzog, ¨e** duke
**der Hof, ¨e** court
**der Hofbeamte (-n), -n** court official
**der Hofstaat** court (retinue)

**die Infantin, -nen** infanta

**kahl werden*** (s) to grow bald
**die Krankheit, -en** illness

**der Leinensack, ¨e** linen bag

**der Mangel** lack, dearth
**sich melden** to report; **— lassen*** to ask to be announced

**nach-ahmen = nach-tun*** (dat.) to imitate
**neuartig** novel
**niedergeschlagen** depressed
**die Not, ¨e** distress
**nunmehr** now

**die Perücke, -n** wig
**prachtvoll** magnificent

**die Qual, -en** torture, torment

**der Rat, Ratschläge** advice; **— schaffen*** to offer advice, to suggest means

**das Samtkäppchen, -** velvet cap
**scheren*** to cut, to shear
**schlüpfen** to slip
**schmücken** to adorn; *cf.* **der Schmuck** adornment
**staunen** to marvel

**tags darauf** the next day

**die Tracht, -en** garb, apparel; costume; *cf.* **tragen*** to carry, to wear, to bear

**überbringen*** to take (*or* bring) to
**übernehmen*** to take over (*or* take charge of)
**die Unterhaltung** conversation
**unvorsichtig** careless, inadvertent

**veranstalten** to arrange
**verbergen*** to hide, to conceal; *cf.* **bergen*** to hide, to conceal
**verblüfft** dumbfounded
**verdecken** to cover, to conceal
**verlassen*** to leave
**der Verlauf** course
**die Vermittlung** mediation, intervention
**versehen*** to provide, to equip, to fit
**versteinert** petrified
**sich verwickeln** to get involved
**die Verwunderung** amazement
**vor-lassen*** to admit (to the presence of)

**die Wendung, -en** turn; *cf.* **wenden*** to turn; **winden*** to wind
**würdig** venerable

**die Zierde, -n** adornment
**die Zuflucht** refuge; — **nehmen* zu** to resort to
**sich zusammen-finden*** to meet
**sich zusammen-nehmen*** to pull oneself together
**sich zusammen-raffen** to pull (*or* gather) oneself together

## FRAGEN

1. Wessen Vater war Philipp der Gute?
2. Warum war Herzog Philipp betrübt?
3. Wie hieß seine Braut?
4. Wozu nahm Philipp in seiner Not Zuflucht?
5. Wann entdeckte die Infantin seinen Mangel an Haaren?
6. Was tat sie beim unerwarteten Anblick seines würdigen aber kahlen Hauptes?
7. Wie benahm sich der Herzog dabei?
8. Wofür ließ Philipp einen hohen Preis aussetzen?
9. Wer erhielt die Belohnung?
10. Wo erschien der Herzog zum erstenmal öffentlich in der Perücke?

## STILÜBUNG

(1) Combine two substantives in each sentence to form a nominal compound. Example: Er baut eine Brücke aus Holz. Er baut eine Holzbrücke. (2) Substitute the verb in parentheses.

1. Während einer langen Krankheit in seiner Jugend hatte er all sein Haar verloren (ausgehen). 2. Er suchte damit den Mangel an Haaren zu verdecken (verbergen). 3. Dann stattete Isabella ihrem Bräutigam am Abend einen Besuch ab (kommen auf). 4. Bei Tisch vertieften sie sich in ein Gespräch (verwickeln). 5. Durch eine unvorsichtige Wendung des Kopfes fiel ihm die Samtkappe vom Kopfe (schlüpfen). 6. Ein Barbier aus der Stadt verlangte vorgelassen zu werden (um Erlaubnis bitten). 7. Unter dem Arme trug er einen geheimnisvollen Sack aus Leinen (bergen). 8. Er zog ein neuartiges Käppchen mit Haaren aus der Tasche (nehmen).

## FREIE AUFSÄTZE

Schreiben Sie einen kurzen Aufsatz über (a) „Samtkäppchen und Perücke" oder (b) „Die Qual der Glatze" und bedienen Sie sich dabei möglichst folgender Redewendungen: das Haar geht einem aus, kahl werden, niedergeschlagen sein, zu einer Sache greifen, es einem nachtun, auf Besuch sein bei, sich des Lachens enthalten, tags darauf, sich zusammennehmen, einen Ball geben.

## ÜBERTRAGUNG

1. Philip the Good, Duke of Burgundy, was very depressed.
2. He would very much have liked to appear handsome, but he had lost all his hair during a long illness.
3. To conceal his lack of hair, he resorted to [the wearing of] a velvet cap.
4. His courtiers imitated him at once.
5. Before long[1] the entire court went about with shorn heads and black velvet caps.
6. One evening the Duke and the Infanta met in the castle.
7. In the course of the conversation Philip turned inadvertently.
8. Before he could prevent it,[2] the black velvet cap fell from his head.
9. At the sight of his venerable but bald head thus completely robbed of its adornment, the Infanta could not refrain from laughing.
10. Deeply offended, the Duke stood there at first as though petrified.
11. Then he gathered himself together and hastily left the room.
12. (Already) on the very next day Philip offered[3] a large [high]

[1] *Use* es dauerte nicht lange, bis. [2] *Use* sich's versehen*. [3] *Use* demjenigen einen Preis aussetzen lassen*.

reward to the person who could suggest[4] a way of remedying his lack of hair.

13. Soon thereafter a barber requested to be admitted to the presence of the Duke.
14. There the barber drew a kind of cap out of a linen bag he[5] was carrying under his arm.
15. The Duke was delighted when he observed that the cap was fitted with long hair.
16. He gave the barber a generous reward.
17. On the evening of that memorable day, Philip gave a magnificent ball.
18. Everyone in Brussels was invited to it.
19. To the amazement of all present the Duke appeared in long blond hair.
20. The bald-headed duke was wearing the first wig.

[4] *Use* Rat wissen*, wie einer Sache abzuhelfen. [5] *Relative pronouns may not be omitted in the German.*

# · 11 ·

# AUTOFAHREN UND AUTOFAHRER

## LESESTÜCK

Im Zeitalter der Technik ist Autofahrenkönnen sozusagen eine Selbstverständlichkeit. Am einfachsten lernt man es in einer Fahrschule. Da sogar Nichtfahrer wissen, was ein Sucher, eine Windschutzscheibe, eine Motorhaube, ein Scheinwerfer, ein Nummernschild, 5 ein Kotflügel oder ein Stoßfänger ist, so macht sich der Anfänger mit den wichtigsten Teilen des Wagens, insbesondere mit dem Motor, dem Vergaser und der Kühlung, zuerst vertraut. Denn der Motor, in dem die Zündung des Gasgemisches erfolgt, erzeugt die Kraft für den Antrieb des Wagens. Im Vergaser wird der Brennstoff, meist 10 Benzin oder Benzol, zerstäubt und mit der Luft in einem solchen Verhältnis gemischt, wie es der Motor am besten verarbeiten kann, während Kühler, Windflügel und Wasserpumpe dafür sorgen, daß der Motor nicht unzulässig heiß wird.

Das Instrumentenbrett am Führersitz wirkt auf jeden angehenden 15 Fahrer zuerst etwas verwirrend, denn hier reihen sich Tankinhaltsanzeiger, Geschwindigkeitsmesser, Öldruckanzeiger, Zündschloß, Anlasser, Beleuchtung und andere Nebenapparate eng aneinander. Bald weiß er jedoch auch da Bescheid, und kann er endlich Fußbremse, Gasfußhebel, Kuppelung, Handbremse und Schalthebel 20 auseinanderhalten und bedienen, so ist der Anfänger so weit, mit dem Fahren selbst anzufangen.

Um den Wagen in Betrieb zu setzen, öffnet er den Brennstoffhahn und prüft, ob der Schalthebel auf Leerlauf steht und sich seitlich hin und her bewegen läßt. Dann steckt er den Zündschlüssel ein und dreht ihn in die Zündstellung, drückt auf den Anlasserknopf und der Motor 52 springt an.

Die Fahrt kann beginnen. Da aber die meisten Anfänger vor Aufregung oft plötzlich Gas geben, so daß der Motor anfängt zu rasen, so ist er vor dem Anfahren natürlich darauf bedacht, mit dem rechten Fuß sehr leicht zu treten. Hierauf löst er die Handbremse, nimmt das 30 Gas weg, kuppelt aus und schaltet vorsichtig in den ersten Gang, kuppelt ganz langsam wieder ein, gibt etwas Gas, und schon zieht der Wagen an. Nach wenigen Metern Fahrt wiederholt er den Vorgang und schaltet den zweiten und endlich den dritten Gang ein. Jetzt läuft der Wagen ziemlich rasch. Der angehende Fahrer wird sich aber 35 besonders davor hüten, zu schnell zu fahren, denn beim Autofahren kommt man nur mit größter Ruhe an das Ziel. Am Ziel nimmt er das Gas weg und kuppelt aus, während er erst langsam, dann allmählich stärker auf die Bremse tritt, bis der Wagen steht. — Plötzliches scharfes Bremsen ist zwecklos, unter Umständen gefährlich. 40 Ist der Anfänger so weit, so geht es ans Üben. Er fährt immer wieder an, fährt vor, wendet und parkt, denn im Autofahren macht die Übung bestimmt den Meister.

## WORTSCHATZ

**achten auf** (acc.) to pay attention to

**sich aneinander-reihen** to line up (next to each other), to be grouped together

**das Anfahren** start (of a car)

**angehend** incipient, beginning; future

**der Anlasser, -** starter

**der Anlasserknopf, ⸚e** starter switch
**an-springen*** (s) to start up
**der Antrieb** propulsion
**an-ziehen*** (s) to begin to move (*or* go)
**aufgeregt** excited; **die Aufregung, -en** excitement
**auseinander-halten*** to keep (*or* tell) apart
**sich aus-kennen*** to know one's way around
**aus-kuppeln** to disengage the clutch
**der Autofahrer, -** driver, operator of a motor vehicle
**das Autofahrenkönnen** driving; ability to drive

**bedacht auf** (acc.) mindful of, intent on
**bedienen** to operate
**bedürfen*** (gen.) to require
**die Beleuchtung, -en** illumination; lights
**das Benzin** gasoline
**der Bescheid** information; **— wissen*** to be informed, to know one's way around
**der Betrieb** plant, activity; **in — setzen** to set in motion, to start
**die Bremse, -n** brake; **bremsen** to apply the brakes
**der Brennstoff, -e** fuel
**der Brennstoffhahn, ⸚e** ignition

**ein-führen** to introduce
**ein-kuppeln** to engage the clutch
**ein-stecken** to insert
**erfolgen** (s) to take place, to occur
**erzeugen** to produce

**fahren*** (s) to drive
**die Fahrschule, -n** driving school

**die Fassung** composure; **außer — geraten*** (s) to lose one's composure
**der Führersitz, -e** driver's seat

**der Gang, ⸚e** walk, gait; **erster —** first (*or* low) gear
**das Gas, -e** gas; **— geben*** to feed (*or* step on) the gas
**der Gasfußhebel, -** accelerator
**das Gasgemisch, -e** gas mixture
**gefährlich** dangerous; **die Gefahr** danger
**der Geschwindigkeitsmesser, -** speedometer

**hierauf** thereupon
**die Hut** care; **auf der — sein*** (s) to be on guard
**sich hüten vor** (dat.) to be on guard against

**insbesondere** especially
**das Instrumentenbrett, -er** dashboard

**der Kotflügel, -** fender
**der Kühler, -** radiator
**die Kühlung, -en** cooling system
**die Kuppelung, -en** clutch

**leer-laufen*** (s) to idle; **auf Leerlauf stehen*** to be in neutral
**lösen** to release, to solve

**machen** to make; **sich an etwas —** to tackle something
**die Motorhaube, -n** hood

**der Nebenapparat, -e** auxiliary (apparatus)
**das Nummernschild, -er** license plate

**öffnen** to open; to turn on
**der Öldruckanzeiger, -** oil pressure gauge

**parken** to park

**rasen** (s) to race; to roar
**die Ruhe** rest; calm

**schalten** to shift
**der Schalthebel, -** gearshift
**der Scheinwerfer, -** headlight
**seitlich** laterally, sideways; *cf.* **die Seite, -n** side
**die Selbstverständlichkeit** matter-of-course
**sogar** even
**sozusagen** so to say
**der Stoßfänger, -** bumper
**der Sucher, -** searchlight

**der Tankinhaltsanzeiger, -** fuel gauge
**die Technik** technology

**üben** to practice
**der Umstand, ⸚e** circumstance
**unzulässig** inadmissibly, unduly; excessively
**verarbeiten** to use up, to consume

**der Vergaser, -** carburetor
**das Verhältnis, -se** ratio, proportion; condition; circumstance
**sich vertraut machen** to familiarize oneself
**verwirren** to confuse; **es wirkt verwirrend** it is confusing
**vor-fahren*** (s) to pull up

**der Vorgang, ⸚e** process

**die Wasserpumpe, -n** water pump
**weg-nehmen*** to take away
**wenden*** to turn
**der Windflügel, -** fan
**die Windschutzscheibe, -n** windshield
**wirre machen** to confuse

**das Zeitalter, -** age
**zerstäuben** to vaporize; *cf.* **der Staub** dust
**das Zündschloß, -schlösser** ignition switch
**der Zündschlüssel, -** ignition key; *cf.* **zünden** to ignite; *cf.* **anzünden** to light
**die Zündstellung, -en** "on" position
**die Zündung, -en** ignition
**der Zweck, -e** purpose
**zwecklos** pointless, futile

## FRAGEN

1. Wer muß heute Auto fahren können?
2. Wo lernt man es am einfachsten?
3. Was wissen sogar Nichtfahrer?
4. Welches sind die wichtigsten Teile des Wagens?
5. Wo erfolgt die Zündung des Gasgemisches?
6. Wozu dienen Kühler und Wasserpumpe?
7. Wo befindet sich das Instrumentenbrett?
8. Welchen Zweck hat der Schalthebel?
9. Wann läßt er sich seitlich hin und her bewegen?

10. Wie viele Gänge haben die meisten Wagen?
11. In welchem Gang läuft der Wagen rasch?
12. Warum darf man nicht plötzlich Gas geben?
13. Wann schaltet man den Motor auf Leerlauf?
14. Wie muß man auf die Bremse treten?
15. Wie kommt man beim Autofahren am sichersten ans Ziel?

## STILÜBUNG

Change each sentence into a main clause and a dependent clause (1) without "wenn," (2) with "wenn." Example: Ein fleißiger Schüler lernt schneller. Ist der Schüler fleißig, dann (so) lernt er schneller. Wenn der Schüler fleißig ist, lernt er schneller.

1. Am einfachsten lernt man das Fahren in der Fahrschule. 2. Ein Anfänger macht sich mit den wichtigsten Teilen des Wagens vertraut. 3. Der arbeitende Motor erzeugt die Kraft für den Antrieb des Wagens. 4. Das komplizierte Instrumentenbrett wirkt auf den angehenden Fahrer zuerst etwas verwirrend. 5. Ein auf Leerlauf geschalteter Schalthebel läßt sich seitlich hin und her bewegen. 6. Mit dem Anspringen des Motors kann die Fahrt beginnen. 7. Vor Aufregung geben die meisten Anfänger oft plötzlich Gas. 8. Der angehende Fahrer kommt nur mit Ruhe ans Ziel. 9. Im Autofahren macht die Übung den Meister.

## FREIE AUFSÄTZE

Schreiben Sie einen kurzen Aufsatz über (a) „Die wichtigsten Autobestandteile“ oder (b) „Das Autofahren“ und bedienen Sie sich dabei möglichst folgender Redewendungen: sich in etwas einführen lassen, sich auskennen, aufgeregt sein, auf einen achten, auf der Hut sein, es so weit bringen, besonderer Ruhe bedürfen, keinen Zweck haben, einen wirre machen, außer Fassung geraten, sich an etwas machen.

## ÜBERTRAGUNG

1. Driving, one may say, is a part of modern living.[1]
2. It does not presuppose any special technical training, but it does require a limited understanding of the mechanical functioning of the various parts of the car, especially in Germany.
3. By and large, the beginner soon learns that every car is divided[2] into two major sections called[2] chassis and body.
4. The latter includes,[3] among others, the roof, the doors and windows, the fenders and headlights, the hood, and the windshield.
5. The former is a frame[4] of pressed steel, mounted on springs, which rests on two[5] front and two rear wheels each[5] and contains the entire machinery of the vehicle.
6. Few cars still[6] have running boards.
7. In (the) most cars the motor is in front with its auxiliaries, such as[7] radiator, water pump, and fan, which[8] prevent the motor from overheating, and the carburetor, in which the gasoline is mixed with air before it can be[9] ignited in the motor.
8. Attached[10] to the motor is the transmission, which drives the rear wheels by means of the drive shaft.

[1] *Translate* gehört zum modernen Menschen. [2] *Use an active relative construction with* man. [3] *Translate* zu diesem zählen. [4] *Translate* ein aus Stahl gepreßter . . . Rahmen. [5] *Translate* auf je zwei. [6] *Translate* Nur noch wenige. [7] *Translate* wie. [8] *Translate* die dafür sorgen, daß der Motor nicht unzulässig heiß wird. [9] *Translate* ehe es . . . zur Entzündung gelangt. [10] *Use a reflexive construction.*

9. For the purpose of steering the car, the front wheels can be moved laterally.
10. The steering wheel, horn, gearshift, hand brake, foot pedals, and the starter are located near the driver's seat.
11. To start the car, the driver first shifts the gearshift into neutral; then he turns on the ignition and presses on the starter.
12. When the motor has started up, he releases the hand brake and disengages the clutch.
13. He shifts into first and slowly engages the clutch again as he gently steps on the accelerator pedal.
14. After the car has begun to move, he repeats the process, shifting into second and then into third or high.
15. To stop the car, which is traveling rather fast by now — in populated areas the maximum speed ranges between 25 and 35 miles per hour, — he takes his foot off the gas, steps slowly on the brake pedal, and finally disengages the clutch.
16. Years ago driving[11] was not without [some] hazards and discomforts, and drivers always had to be prepared for the worst.
17. Today, however, cars are made almost entirely[12] of steel and equipped with four-wheel brakes and spare tires.
18. They are easy to handle[13] and rarely cause much trouble.
19. Moreover, there are gasoline stations almost everywhere now, and nearly every hamlet has an auto repair shop.
20. It is true that nowadays everyone operating a vehicle on public highways must have a driver's license.
21. But there are [some] countries where he need not even know what[14] to do with a flat tire.

[11] *Translate* ging es beim . . . zu. [12] *Translate* zum größten Teil. [13] *Use* bedienen. [14] *Translate* wie man . . . zu Werke geht.

# · 12 ·

# SIMPLIZIUS SIMPLIZISSIMUS

## LESESTÜCK

Von einem armen Bauern im Spessart (in Südwestdeutschland) zu Zeiten des Dreißigjährigen Krieges (1618—1648) an Kindes Statt angenommen, wächst Simplizius, der Held des bedeutendsten deutschen Romans des 17. Jahrhunderts, ohne jede Erziehung und ohne Kenntnis von der Welt, naiv und treuherzig wie Parzival, heran. 5
Wie diesem der Zufall in seiner Waldeinsamkeit Ritter in prächtig glänzender Rüstung entgegenführt, so begegnet jenem eines Tages auf der Weide ein Trupp versprengter Reiter. Doch während Parzival vor den Fremden anbetend niedersinkt, weil er in ihrem ritterlichen Glanze das göttliche Licht zu sehen meint, von dem seine Mutter 10
gesprochen, befolgt Simplizius väterlichen Rat und bläst bei der Begegnung aus Leibeskräften auf der Sackpfeife, da er eine Art berittener Wölfe zu sehen glaubt, die in die ihm anvertraute Herde zu fallen drohen.

Wie die Tiere überfallen die Kürassiere auch darauf das Dorf, 15
in dem der Pflegevater des einfältigen Simplizius lebt, plündern und zünden es an allen Ecken und Enden an, martern und erschlagen die Männer und verüben allerlei Schandtaten an den Weibern. Nur mit Mühe entkommt Simplizius selbst der Mörderbande.

Ohne zu wissen wohin, flieht er in den nahen Wald. Im Walde 20
stößt er auf einen Einsiedler, einen Herrn Sternfels von Fuchsheim, der, wie Simplizius erst nach Jahren erfährt, nach dem Tode seiner

Frau, einer Schwester des schwedischen Gouverneurs von Hanau, der wilden Weltlust entsagt und sich in die Einsamkeit zurückgezogen 25 hatte. Dieser Einsiedler — er ist niemand anders als Simplizius' Vater — nimmt sich des obdachlosen Knaben an und lehrt ihn lesen, schreiben und beten.

Nach zwei Jahren stirbt aber der fromme Einsiedler. Dazu noch aller armseligen Geräte und Vorräte durch die Soldateska beraubt, 30 sieht sich Simplizius gezwungen, bei den Menschen sein Heil zu suchen. Doch er weiß sich in ihre Verhältnisse nicht zu schicken. Beim Gouverneur von Hanau, dem Schwager des Einsiedlers, bei dem er durch Zufall Unterkunft findet, spielt Simplizius fast unabsichtlich die Rolle eines Narren. In den Soldatenlagern, in die ihn die Wirren 35 der Zeiten hineinreißen, sinkt er anfangs wider Willen und erst später mit dem vollen Bewußtsein des Abenteurers, der allen Glauben an Gott verloren, immer tiefer in den Schlamm des Kriegslebens.

Wie Parzival wird somit auch Simplizius aus reiner Kindestorheit zur Schuld geführt. Und durch Schuld ringt auch er sich allmählich 40 zur Läuterung durch, die ihn auf sein inneres edleres Ich hören und Gottes Gnade in stiller Weltabgeschiedenheit erstreben läßt.

## WORTSCHATZ

**der Abenteurer, -** adventurer
**allmählich** gradual
**an-beten** to adore; *cf.* **beten** to pray
**an-nehmen*** to adopt; **sich** — (gen.) to take an interest in
**an-vertrauen** to entrust
**an-zünden** to set fire to, to light
**armselig** miserable, wretched

**bedeutend** significant, important; *cf.* **bedeuten** to mean, to signify
**befolgen** to follow, to obey
**die Begegnung, -en** meeting
**beritten** mounted
**das Bewußtsein** awareness
**blasen*** to blow, to sound
**in Brand stecken** to set fire to

**dazu** in addition
**dieser . . . jener** this . . . that; the latter . . . the former
**drohen** to threaten
**(sich) durch-ringen*** to struggle through

**die Ecke, -n** corner; **an allen —n und Enden** on all sides
**einfältig** simple (minded)
**die Einsamkeit** solitude
**der Einsiedler, -** hermit
**entgegen-führen** to lead toward
**entkommen*** (s) to escape
**entsagen** (dat.) to renounce
**erschlagen*** to slay; *cf.* **schlagen*** to strike, to hit
**erstreben** to aspire to
**die Erziehung** upbringing, education

**fromm** pious

**das Gerät, -e** tool
**der Glaube (-ns), -n** faith; *cf.* **glauben** to believe
**göttlich** divine

**das Heil suchen** to try one's luck

**die Herde, -n** herd; **in die — fallen*** (s) to fall upon the herd
**her-fallen*** (s) **über** (acc.) to fall upon
**hinein-reißen*** to draw (*or* sweep) into

**die Kenntnis, -se** knowledge; *cf.* **kennen*** to know
**das Kind, -er** child; **an —es Statt an-nehmen*** to adopt
**die Kindestorheit, -en** childish folly
**der Krieg, -e** war; **der Dreißigjährige Krieg** Thirty Years' War
**der Kürassier, -e** cuirassier

**die Läuterung** purification, purge; *cf.* **lauter** pure
**aus Leibeskräften** with all one's might

**martern** to torture
**die Mörderbande, -n** band of murderers
**die Mühe** pains, trouble; **mit großer —** with great difficulty

**nieder-sinken*** (s) to sink down, to sink to one's knees

**obdachlos** shelterless, destitute

**Parzival** Parsifal (*name of the hero associated with the old legend of the quest for the Holy Grail*)
**plündern** to plunder
**der Pflegevater, ¨** foster father; *cf.* **pflegen** to foster, to cultivate, to be accustomed to
**prächtig** splendid, magnificent

**ritterlich** knightly; *cf.* **der Reiter, -** rider; *cf.* **der Ritter, -** knight
**der Roman, -e** novel

**die Rüstung, -en** armor

**die Sackpfeife, -n** bagpipe
**die Schandtat, -en** infamy
**sich schicken in** (acc.) to adapt oneself to
**der Schlamm** mud, mire, slime
**die Schuld, -en** guilt
**der Schwager, ⸚** brother-in-law
**Simplizius Simplizissimus** *(a novel by Hans Jacob Christoffel von Grimmelshausen, published in 1669)*
**das Soldatenlager, -** army camp
**die Soldateska** soldiers
**somit** hence, consequently
**stoßen*** (s) **auf** (acc.) to come upon

**treuherzig** trusting, ingenious
**tun*** to do; **es zu — haben* mit** (dat.) to have to contend with

**überfallen*** to attack
**unabsichtlich** unintentional; *cf.* **die Absicht, -en** intention
**die Unterkunft, ⸚e** shelter, lodging

**väterlich** fatherly; **—er Rat** fatherly advice
**versprengt** straggling, isolated
**verüben** to perpetrate; **— an** (dat.) to subject to
**der Vorrat, ⸚e** supply, provisions

**das Waisenkind, -er** orphan
**die Waldeinsamkeit** wooded seclusion
**die Weide, -n** pasture, field

**die Weltabgeschiedenheit** seclusion; *cf.* **scheiden*** to part, to separate
**die Weltlust** worldly pleasure(s)
**der Wille (-ns), -n** will; *cf.* **wollen*** to want; **wider Willen** against one's will
**die Wirren** (pl.) mad whirl, confusion
**wissen*** to know; **weder aus noch ein —** not to know which way to turn
**der Wolf, ¨e** wolf

**der Zufall, ¨e** chance, accident; **durch — finden*** to chance to find
**sich zurecht-finden*** to find one's way
**zu-richten** to prepare; to rough up, to handle (a person or thing) roughly; **übel —** to rough up badly
**sich zurück-ziehen*** to withdraw
**zwingen*** to compel, to oblige

## FRAGEN

1. Wer nahm Simplizius an Kindes Statt an?
2. Wie wuchs Simplizius heran?
3. Wem begegnete er auf der Weide?
4. Wen überfielen die Soldaten?
5. Wohin nahm Simplizius darauf Zuflucht?
6. Wann starb der Einsiedler?
7. Bei wem fand Simplizius in Hanau Unterkunft?
8. Mit wem war er dort verwandt?
9. Welche Rolle spielte Simplizius in Hanau?
10. Wie erging es ihm nachher?
11. Wodurch rang er sich zur Läuterung durch?
12. Inwiefern gleicht sein Schicksal dem des Parzival?

## STILÜBUNG

(1) Use the descriptive adjective in a relative clause. Example: Der Mann sah einen schwarzen Hut. Der Mann sah einen Hut, der schwarz war. (2) Start each sentence with "es traf sich, daß."

1. Der Zufall führte ihm Ritter in prächtig glänzender Rüstung entgegen. 2. Ein Trupp versprengter Reiter begegnete ihm auf der Weide. 3. Parzival sank vor den verwunderten Fremden nieder. 4. Er glaubte eine Art von berittenen Wölfen zu sehen. 5. Sie fielen in die ihm anvertraute Herde. 6. Sie plünderten das brennende Dorf. 7. Der Einsiedler nahm sich des verlaufenen Knaben an. 8. Der beraubte Simplizius suchte bei den Menschen das Heil. 9. Sein edleres Ich ließ ihn seinen verlorenen Glauben wieder finden.

## FREIE AUFSÄTZE

Schreiben Sie einen kurzen Aufsatz über (a) „Simplizius' Werdegang" oder (b) „Die Schrecken des Dreißigjährigen Krieges" und bedienen Sie sich dabei möglichst folgender Redewendungen: ein Waisenkind annehmen, einem in den Weg laufen, auf die Knie sinken, sich einer Sache erinnern, auf der Sackpfeife spielen, in Brand stecken, es zu tun haben mit, herfallen über, übel zurichten, nicht aus noch ein wissen, sich zurechtfinden.

## ÜBERTRAGUNG

1. During the time[1] of the Thirty Years' War a distinguished lady gave birth to a son in a little village in the Spessart.

[1] *Use* zur Zeit.

2. When the lady died soon thereafter, a simple peasant adopted the little boy.
3. However, the peasant was poor and the boy grew up in complete ignorance of the world [and its ways]; in fact, he could neither read nor write.
4. Although he had grown up in the woods, he did not know what a wolf looked like.
5. One day a troop of riders burned down the village in which the foster father lived, and the boy escaped into the near-by forest.
6. In the forest the homeless boy came upon a pious hermit who, as he later discovered, was his own father.
7. The hermit, a certain Sir Sternfels von Fuchsheim, had withdrawn from the world after the death of his wife, a sister of the governor of Hanau.
8. At first the hermit would[2] not keep the boy.
9. But when the boy pleaded with him, he finally relented.
10. He took him[3] into the hut, which he had built himself and then taught him [to] read and [to] write.
11. After two years the hermit died, and the boy found[4] himself obliged to leave the forest.
12. Soon thereafter he was captured and brought before the governor of the fortress [city of] Hanau.
13. When the latter learned that the hermit had been his brother-in-law, he offered to educate the boy, although he did not know that the boy was his own nephew.
14. But Simplizius, as he was now called,[5] preferred to play the role of a jester [instead] and taunt those who would[2] make a fool of him because of his ignorance.

[2] *Use* wollen*. [3] *Insert* zu sich. [4] *Use* sehen*. [5] *Use* so nannte man ihn nun.

15. After some months Simplizius fell into the hands of a wild band[6] of soldiers who forced[7] him to follow their way of life.
16. At first Simplizius' conscience rebelled against it.
17. Eventually,[8] however, he consciously abandoned himself to the madness of the times.
18. As did all others,[9] so he, too, lost all faith in God.
19. But his nobler self ultimately asserted itself.
20. He renounced the pleasures of the world and spent the last years of his life in contemplative solitude.

[6] *Use a dative of possession.* [7] *Use* die ihm ihre Lebensweise aufzwang. [8] *Note the word order and use* mit der Zeit. [9] *Use* wie die anderen.

# · 13 ·

# WEIHNACHTEN

## LESESTÜCK

Zu Weihnachten, d. h. in den (zwölf) geweihten Nächten, die sie sich gewissermaßen als eine einzige Nacht vorstellten, in der das Sonnenrad an seinem tiefsten Ziele stillestand, feierten die alten Germanen wie alle Naturvölker die Wintersonnenwende. Mit der Wiederkehr des
5 Lichtes, so hieß es im Volksglauben, kamen die Götter des Himmels und der Erde, Wotan und Frigga (oder Holda), seine Gemahlin, mit ihrem Gefolge von ihrer langen fernen Winterreise heim. Ehe sie dann nach Asgard, dem Wohnsitz der Götter, aufstiegen, zogen sie zwölf Nächte lang über die Erde, wobei Holda, im Volke Frau Holle
10 genannt, heimlich durch die Häuser der Menschen eilte, die Arbeit der Guten segnete und die Trägheit der Faulen strafte. Ihr zu Ehren schmückten dann die Germanen die Türen mit Tannenzweigen und die Stuben mit Ästen von Apfel- und Birkenbäumen, die in der Wärme der Häuser Knospen trieben und blühten.

15 Um diese Zeit war es bei den alten Germanen auch Sitte und Brauch, Kuchen zu backen, die ihre Priesterinnen aus süßem Teig in Gestalt von verschiedenen Tieren, die den Göttern heilig waren, formten und unter das Volk verteilten. Daher behält das deutsche Weihnachtsgebäck sogar noch heute die Tierform bei, in Schlesien
20 z. B. die Eberform, in Norddeutschland die Gestalt eines Pferdes. Die Gerichte, die der Deutsche am Weihnachtsabend in den ver-

schiedenen Gegenden Deutschlands verzehrt, sind auch zweifellos germanisch-heidnischen Ursprungs.

Mit dem Feste von der Geburt Christi hatte „Weihnachten" somit anfangs nichts zu tun. Die älteste christliche Kirche feierte nur 25 die Auferstehung Christi, das Osterfest. Aber der Gedanke, daß Christus wie die Sonne Licht in die Finsternis des Heidentums hineingetragen hatte, legte es den Kirchenvätern nahe, Christi Geburt am Tage des alten Sonnenfestes zu feiern. Als sie sich dazu verstanden, rechneten sie von Mariä Verkündigung neun Monate und kamen so 30 auf den 25. Dezember, der nun seit dem vierten Jahrhundert als der Geburtstag des Heilands festlich begangen wird.

Im Mittelpunkt des Weihnachtsfestes aber, insbesondere des Weihnachtsabends — des Heiligen Abends — steht heute überall der Tannenbaum mit seinem goldenen und silbernen Schmuck, 35 seinen beladenen Zweigen und seinen brennenden Kerzen. Dieser läßt sich erst in der ersten Hälfte des sechzehnten Jahrhunderts im Elsaß nachweisen, von wo aus der neue Brauch gegen den Willen der Kirche, die etwas Heidnisches darin vermutete, sich weiter nach Norden verbreitete. Erst im Norden erhielt der Baum seinen Lichter- 40 schmuck, der zur Winterzeit heute Gassen und Gäßchen erhellt und die Herzen von groß und klein erfreut.

## WORTSCHATZ

**der Apfel, ¨** apple
**der Ast, ¨e** branch, twig
**die Auferstehung** resurrection
**auf-steigen*** (s) to ascend
**aus-statten** to equip, to adorn

**begehen*** to observe
**bei-behalten*** to retain
**beladen** laden
**der Birkenbaum, ⸚e** *or* **die Birke, -n** birch (tree)
**blühen** to blossom, to bloom
**der Brauch, ⸚e** tradition

**christlich** Christian
**Christus, Christi** Christ

**der Eber, -** (wild) boar
**das Elsaß** Alsace
**erfreuen** to elate
**erhellen** to brighten, to light up

**faul** lazy
**die Finsternis, -se** darkness

**Frigga** Frigg (*wife of Odin*)

**das Gäßchen, -** alley
**die Gasse, -n** narrow street
**der Geburtstag, -e** birthday
**der Gedanke (-ns), -n** thought, idea, opinion; **auf den — kommen*** (s) to hit upon the idea
**das Gefolge, -** retinue
**die Gegend, -en** region, section, part
**die Gemahlin, -nen** wife, spouse
**gemein haben*** to have in common
**das Gericht, -e** dish, food
**die Gestalt, -en** shape, figure

**gewissermaßen** in certain respects

**das Heidentum** heathendom
**heidnisch** heathen
**der Heiland** Savior
**heilig** sacred; **der Heilige Abend** Christmas Eve
**heimlich** secret(ly)
**hinein-tragen*** to carry in

**die Kerze, -n** candle
**der Kirchenvater, ⸚** Church Father
**die Knospe, -n** bud; **—n treiben*** to bud

**der Mittelpunkt, -e** center
**sich munden lassen*** to enjoy (the taste of)

**nach-weisen*** to prove, to establish
**nahe-legen** to suggest
**das Naturvolk, ⸚er** primitive nation, people

**das Osterfest, -e** festival of Easter

**der Priester, -** priest

**rechnen** to count, to calculate

**(das) Schlesien** Silesia
**schmücken** to adorn; *cf.* **der Schmuck** adornment
**segnen** to bless
**die Sitte, -n** custom
**das Sonnenrad, ⸚er** solar wheel; *cf.* **das Rad, ⸚er** wheel
**stille-stehen*** to stand still

**strafen** to punish
**die Stube, -n** room, living room

**der Tannenzweig, -e** bough of fir
**der Teig** dough
**die Trägheit** laziness; *cf.* **träge** lazy, indolent

**überein-kommen*** (s) to agree
**der Ursprung, ⸚e** origin

**verbreiten** to spread
**die Verkündigung, -en** announcement; **Mariä —** Feast of the Annunciation of Mary
**vermuten** to suspect
**verstehen*** to understand; **sich zu etwas —** to agree on something
**verteilen** to distribute
**verzehren** to eat, to consume
**der Volksglauben** popular belief
**sich vor-stellen** to envisage, to conceive; **sich eine Vorstellung machen** to have a conception

**die Wärme** warmth
**weihen** to hallow
**(die) Weihnachten** (pl.) Christmas
**der Weihnachtsabend, -e** Christmas Eve
**das Weihnachtsgebäck** Christmas pastry
**die Wiederkehr** return, recurrence; *cf.* **kehren** to sweep, to turn; *cf.* **heim-kehren** (s) to return, to come home
**die Wintersonnenwende, -n** winter solstice
**der Wohnsitz, -e** residence

**Wotan** Odin *or* Othin *or* Woden (*chief god in Norse mythology*)

**zweifellos** doubtless; *cf.* **zweifeln** to doubt; **der Zweifel, -** doubt
**das Ziel, -e** goal, limit

## FRAGEN

1. Wann feierten die alten Germanen die Wintersonnenwende?
2. Von wo kehrten die germanischen Götter um diese Zeit heim?
3. Wer soll dann nächtlich durch die Häuser der Menschen gezogen sein?
4. Wie schmückten die Germanen Holda zu Ehren ihre Stuben?
5. Was wurde bei den Germanen zur Weihnachtszeit gebacken?
6. Wo bäckt man immer noch Kuchen in der Gestalt von Pferden?
7. Was hatte Weihnachten anfangs mit der Geburt Christi zu tun?
8. Welches Fest feierte die älteste christliche Kirche?
9. Welcher Gedanke legte es den Kirchenvätern nahe, den Geburtstag des Heilands am Tage des Wintersonnenwendfestes zu feiern?
10. Auf welchen Tag einigten sie sich?
11. Seit welchem Jahrhundert wird der 25. Dezember festlich begangen?
12. Wo läßt sich der erste Weihnachtsbaum nachweisen?
13. In welchem Teil Europas bekam der Baum den Lichterschmuck?
14. Wo ist der Weihnachtsbaum jetzt gang und gäbe?

## STILÜBUNG

(1) Use the supplementary expression as an appositive. Example: Er zählt zu den Glücklichen (der Gesunde). Er zählt zu den Glück-

lichen, den Gesunden. (2) Change each sentence into a suitable question.

1. In den zwölf geweihten Nächten feierten die Germanen die Wintersonnenwende (zu Weihnachten). 2. Mit der Wiederkehr des Lichtes kamen die Götter heim (Sonnenrad). 3. Dann stiegen sie nach Asgard auf (der Wohnsitz der Götter). 4. Im Volke Frau Holle genannt, eilte Holda durch die Häuser der Menschen (die Gemahlin Wotans). 5. Das Weihnachtsgebäck behält die Tierform bei (die Gestalt eines Pferdes). 6. Die älteste Kirche feierte nur das Osterfest (die Auferstehung Christi). 7. Im Mittelpunkt des Weihnachtsabends steht der Tannenbaum (der Heilige Abend). 8. Der Tannenbaum läßt sich erst im sechzehnten Jahrhundert im Westen Deutschlands nachweisen (das Elsaß).

## FREIE AUFSÄTZE

Schreiben Sie einen kurzen Aufsatz über (a) „Das germanische Fest des Lichtes“ oder (b) „Das christliche Fest des Lichtes“ und bedienen Sie sich dabei möglichst folgender Redewendungen: in gewissem Sinne, sich eine Vorstellung machen von, von Haus zu Haus ziehen, festlich ausstatten, sich munden lassen, gemein haben mit, auf den Gedanken kommen, übereinkommen, seinen Ursprung haben, es jemandem nahelegen, sich dazu verstehen.

## ÜBERTRAGUNG

1. Originally “Weihnachten” meant “in the hallowed nights” or, rather, “twelve hallowed nights.”

2. During[1] "Weihnachten" the ancient Teutons celebrated the winter solstice.
3. The Germanic gods of heaven and earth then returned from their long winter journey.
4. Before they ascended to Asgard, the gods roamed through the country for twelve nights.[2]
5. Holda, the wife of Odin, secretly hastened from house to house, blessing[3] the industrious and punishing[3] the idle.
6. In her honor the ancient Teutons adorned their doors with twigs of fir and decorated their rooms with branches from apple[4] and birch trees.
7. At[5] this time [of the year] it was also their[6] custom to bake cookies in [the] shape of animals which were sacred to the Germanic gods.
8. Today Christmas cookies[7] still retain the shape of a boar in Silesia and that[8] of a horse in (the) northern Germany.
9. The foods that are eaten on[9] Christmas Eve in the various parts of Germany are undoubtedly also Germanic[10] in origin.
10. Thus, Christmas at first had nothing to do with the birth of Christ.
11. The oldest Church celebrated only the resurrection of Christ.
12. Later the Church Fathers decided to celebrate the birth of Christ on the day of the old festival of the winter solstice.
13. They selected the 25th [of] December, which has been commemorated festively as the birthday of the Savior [ever] since the fourth century.
14. [But it was] not until the first half of the sixteenth century [that] the Christmas tree came[11] into use.

[1] *Use* zu. [2] *Use* zwölf Nächte lang. [3] *Use the imperfect tense.* [4] *See* Lesestück. [5] *Use* um. [6] *Use* bei ihnen. [7] *Form compound with* Weihnachts-. [8] *Translate* the shape. [9] *Use* am. [10] *Use* germanischen Ursprungs. [11] *Note the word order and use the perfect tense.*

15. The new custom appears to have had its origin in (the) Alsace.
16. From[12] (the) Alsace the tradition spread to [the] north.
17. Here lights were fastened to[13] the ornament-laden branches.
18. At first the Church regarded the Christmas tree as something heathen.
19. But now its lights gleam the world over[14] at (the) Christmas time.
20. Moreover, its green needles have become a[15] symbol of loyalty and constancy.

[12] *Use* vom Elsaß aus. [13] *Use* an. [14] *Use* in der ganzen Welt. [15] *Use* zum.

· 14 ·

# ALBRECHT DÜRER

## LESESTÜCK

Albrecht Dürer war der Sohn eines tüchtigen, unter anderem auch vom Kaiser Maximilian beschäftigten Nürnberger Goldschmieds. Doch zogen ihn Neigung und Talent bald vom väterlichen Gewerbe zur Malerei, in die er von 1486 bis 1490 bei Michael Wohlgemut eingeführt wurde. Nach vierjähriger Wanderschaft kehrte Dürer in 5 seine Heimat zurück und heiratete dort die Tochter eines wohlhabenden Mitbürgers. Im Jahre 1495 war er wahrscheinlich in Venedig, wo ihn vor allem Mantegna und Giovanni Bellini beeinflußten. 1505-6 zog es Dürer zum zweitenmal nach Venedig. Die Hauptzeit seines Lebens verbrachte er aber in seiner Vaterstadt. 10

Wie kaum ein zweiter hat Dürer sich auf allen Gebieten der darstellenden Kunst gleichmäßig ausgezeichnet. Er malte a fresco, in Öl und war ein meisterhafter Kupferstecher und Holzschneider. Seine Schaffensfreudigkeit hielt mit seinem Talent gleichen Schritt, so daß die Einwirkung seiner Kunst sich auf die ganze Welt ver- 15 breitete.

Gar anmutig ist die Erzählung, wie in der glänzenden Lagunenstadt der greise Giovanni Bellini den deutschen Berufsgefährten in seiner Werkstatt aufgesucht und ihn gebeten, ihm doch die Pinsel zu zeigen, mit denen er so anschaulich fein die Haare und Härchen zu 20 malen wisse. Doch als Dürer dem verehrten Manne eine ganze Handvoll hinhielt, meinte dieser, es liege ein Mißverständnis vor und

wiederholte seine Bitte. Darauf soll der Nürnberger den ersten besten Pinsel genommen haben und mit ihm zur höchsten Verwunderung
25 des Venezianers eine Frauenlocke in seiner fein-zierlichen Art gemalt haben.

Ein anderes Mal soll Dürer eingewilligt haben, sich in einem Wortstreit geschlagen zu geben, wenn es seinem italienischen Gegner gelingen sollte, in der Malerei der Natur näher zu kommen, als er
30 selbst es vermochte. Nach Ablauf einer Frist, so heißt es, trafen sich die Freunde beider Künstler zuerst bei dem Italiener, der inzwischen zwei spielende Mäuse so täuschend ähnlich auf eine Leinwand gemalt hatte, daß eine herbeigeholte Katze sich sofort auf das Bild stürzte und es zerreißen wollte. Dann begab sich die ganze
35 Gesellschaft in die Werkstatt des Nürnbergers, wo nur ein Vorhang zu sehen war. Erst als er danach griff, um Dürers vermeintliches Bild dahinter zu finden, soll der italienische Widersacher bemerkt haben, wie natürlich Dürers Pinsel den Vorhang gewebt hatte, und diesem den Sieg zuerkannt haben.

## WORTSCHATZ

**der Ablauf, ⸚e** expiration
**anmutig** charming; *cf.* **die Anmut** charm; *cf.* **der Mut** courage
**anschaulich** vivid, graphic, realistic; *cf.* **schauen** to see
**die Art, -en** manner, type
**auf-suchen** to look up, to seek out, to visit
**sich aus-zeichnen** to distinguish oneself

**beeinflussen** to influence; *cf.* **der Einfluß, -flüsse** influence; *cf.* **fließen*** (s) to flow
**sich begeben*** to betake oneself

**der Berufsgefährte (-n), -n** colleague
**beschäftigen** to occupy, to employ
**der Besuch, -e** visit; **einen — ab-statten** to pay a visit
**die Bitte, -n** request

**dar-stellen** to represent, to portray; **—d** pictorial

**der Eindruck, ⸚e** impression
**sich ein-finden*** to assemble, to convene
**ein-führen** to introduce, to initiate
**sich einverstanden erklären** to declare oneself in agreement
**ein-willigen** to consent
**die Einwirkung, -en** effect, impact
**erst** first; **der —e beste** the first one (*or* thing) that comes along, at random

**a fresco** (Italian) in fresco; **— malen** to paint in fresco (*with water colors on damp, fresh plaster*)
**die Frist, -en** time (limit)

**das Gebiet, -e** field
**der Gegner, -** opponent; *cf.* **gegen** against
**sich geschlagen geben*** to acknowledge defeat
**die Gesellschaft, -en** company, group
**das Gewerbe, -** trade, calling
**gleichmäßig** uniformly, equally
**greifen* nach** (dat.) to reach for
**greis** gray (with age)

**das Härchen, -** fine hair
**herbei-holen** to fetch
**sich hervor-tun*** to excel

**hin-halten*** to hold out
**der Holzschneider, -** wood carver

**inzwischen** meanwhile
**der Italiener, -** Italian; **italienisch** Italian

**die Kunstfertigkeit** artistic skill, dexterity
**der Kupferstecher, -** engraver (on copper)

**die Lagunenstadt, ¨e** city of lagoons
**die Leinwand** canvas

**das Mal** time, instance
**malen** to paint; *cf.* **der Maler, -** painter; *cf.* **die Malerei** painting
**meisterhaft** masterful
**das Mißverständnis, -se** misunderstanding; **mißverstehen*** to misunderstand; *cf.* **verstehen*** to understand
**der Mitbürger, -** fellow citizen

**nach-kommen*** (s) to follow; **einem Ansuchen —** meet a request
**die Neigung, -en** inclination

**das Öl, -e** oil

**der Pinsel, -** brush

**die Schaffensfreudigkeit** creative enthusiasm
**der Schritt, -e** pace; **gleichen — halten*** to keep pace
**sich stürzen auf** (acc.) to rush at

**täuschen** to deceive
**tüchtig** able, skilled

**überlegen** superior
**unwiderstehlich** irresistible

**(das) Venedig** Venice
**verblüffend** startling
**sich verbreiten** to spread; *cf.* **breit** broad, wide
**verbringen*** to spend
**verehren** to esteem; *cf.* **die Ehre, -n** honor
**vermeintlich** supposed
**vermögen*** to be able
**vertraut** familiar
**die Verwunderung** amazement
**der Vorhang, ⸚e** curtain; *cf.* **hängen*** to hang
**die Vorliebe** preference
**vor-liegen*** to prevail; **es muß ein Mißverständnis —** there must be some misunderstanding
**der Vorschlag, ⸚e** proposal

**die Wanderschaft** wanderings
**weben** to weave
**die Werkstatt, ⸚en** shop, studio
**der Widersacher, -** adversary
**wohlhabend** well-to-do
**der Wortstreit, -e** dispute

**zerreißen*** to tear apart
**zierlich** delicate, dainty
**zu-erkennen*** (dat.) to award, to concede
**zu-sprechen*** (dat.) to adjudge

## FRAGEN

1. Wohin zog es Dürer unwiderstehlich?
2. Wer soll ihn in Venedig aufgesucht haben?
3. Welche Bitte soll Giovanni Bellini dort an Dürer gerichtet haben?
4. Was soll ihm darauf der deutsche Meister gezeigt haben?
5. Wie soll Dürer seinem wiederholten Ansuchen nachgekommen sein?
6. Wann soll der Nürnberger einen noch verblüffenderen Beweis seiner Kunstfertigkeit geliefert haben?
7. Welchen Vorschlag soll ihm ein anderer italienischer Berufsgefährte gemacht haben?
8. Wem sollte der Sieg zuerkannt werden?
9. Wohin sollen sich die beiden Künstler zuerst begeben haben?
10. Was soll der Italiener gemalt haben?
11. Wie soll sich seine Katze zu dem Bild verhalten haben?
12. Inwiefern soll Dürer dem Italiener überlegen gewesen sein?

## STILÜBUNG

(1) Fit a modal auxiliary into each sentence. Example: Er ging nicht (mögen). Er mochte nicht gehen. (2) Replace the imperfect with the perfect tense.

1. Kaiser Maximilian beschäftigte den Vater Albrecht Dürers (sollen). 2. Neigung und Talent zogen Dürer zur Malerei (wollen). 3. Nach vier Jahren kehrte Dürer in seine Heimat zurück (müssen). 4. 1505 reiste Dürer zum zweitenmal nach Venedig (dürfen). 5. Seine Schaffensfreudigkeit hielt mit seinem Talent gleichen Schritt (sollen). 6. Bellini suchte ihn in seiner Werkstatt auf (wollen). 7. Dürer wußte

Härchen anschaulich fein zu malen (können). 8. Bellini meinte, es liege ein Mißverständnis vor (müssen). 9. Der Nürnberger nahm den Pinsel nicht (mögen). 10. Sie trafen sich beim Italiener (wollen).

## FREIE AUFSÄTZE

Schreiben Sie einen kurzen Aufsatz über (a) „Dürer und Bellini" oder (b) „Dürers Kunstwettstreit" und bedienen Sie sich dabei möglichst folgender Redewendungen: eine Vorliebe für etwas zeigen, vertraut machen mit, einen Eindruck auf einen machen, sich hervortun, einem einen Besuch abstatten, einen mißverstehen, sich einverstanden erklären, sich einfinden bei, einem etwas zusprechen.

## ÜBERTRAGUNG

1. As [was] many an artist before and after him, Albrecht Dürer was drawn irresistibly to Italy.
2. During Dürer's sojourn in Venice, the aged Giovanni Bellini is said to have called on him in his studio and to have expressed[1] [a] genuine admiration for his art.
3. He begged the German master especially, [so] Dürer's Nürnberg friend Camerarius relates, to show him the brushes which enabled him to paint (the) hair[2] so delicately and realistically.
4. When Dürer pointed to[3] a whole handful [of] brushes, the famous teacher of Giorgione and Titian thought that there must be[4] some misunderstanding and repeated his request.

[1] *Use* zollen. [2] *Use the plural.* [3] *Use* auf *with the accusative.* [4] *Use* vor-liegen*.

5. Much to the surprise[5] of the Italian master, Dürer then took a brush at random[6] and painted with it, delicately and gracefully in his characteristic manner, a lock of woman's hair.
6. On another occasion[7] Dürer is said to have furnished even more amazing proof of his dexterity.
7. One day, the story has[8] it, an Italian colleague proposed to him that[9] they settle a learned dispute through their art.
8. Both were to paint something within [the space of] an hour and the one to come[10] closest to nature in his painting was to be awarded the victory.[11]
9. Dürer agreed[12] and hastened to[13] his studio and the Italian did the same.[14]
10. After [the] expiration of the allotted time, both artists met with their friends, and all went together to [the house of] the Italian.
11. He showed them two mice at play which he had painted on a canvas.
12. Then he fetched a cat out of the kitchen and let it loose in the room.
13. When the cat noticed the mice, it rushed at once at the little creatures, which had been painted so deceptively lifelike.
14. Next the artists and their friends betook themselves to Dürer's quarters.
15. But when they entered his workshop there was nowhere any picture to be seen.[15]
16. Everyone was astounded, and several persons asked where the German had hidden his work.

[5] *Use* zur höchsten Verwunderung. [6] *Use* den ersten besten *as an attributive adjective.* [7] *Use* ein anderes Mal. [8] *Use* so heißt es. [9] *Use an infinitive construction instead.* [10] *Use* wer . . . kommen sollte. [11] *Use* dem sollte der Sieg zuerkannt werden. [12] *Use* sich einverstanden erklären. [13] *Use* in *with the accusative.* [14] *Use* desgleichen. [15] *Use* zu sehen.

17. Dürer then pointed with his finger to[13] the corner where a curtain was drawn.
18. "Draw back the cloth," he said. "Behind[16] it you will see the painting."
19. Smiling mockingly, Dürer's opponent immediately strode over to the curtain and reached for it[16] to draw it aside.
20. But behold! He seized the rigid canvas upon which Dürer's brush had so realistically woven [the texture of] the curtain.
21. The duped Italian now conceded his defeat, and the German master was unanimously declared the[17] victor.

[16] *Use a compound with* da. [17] *Use* zum.

# · 15 ·

# MEISSNER PORZELLAN

## LESESTÜCK

Vor etwa zweihundertundfünfzig Jahren lebte in Berlin ein Apothekergehilfe namens Böttger. Er war ein fleißiger junger Mann. Vom Wunsche der Alchimisten beseelt, die langgesuchte Flüssigkeit zu finden, mit der man unedle Metalle, wie Blei und Kupfer, in edles 5 Gold verwandeln könnte, arbeitete er oft bis spät in die Nacht an seinem Herde. Sein nächtliches Treiben erregte aber Aufsehen, und bald hieß es in der ganzen Nachbarschaft, er habe die Wundersubstanz wirklich erfunden.

Als das Gerücht den Hof erreichte, mangelte es dem König, 10 den neue Bauten eben in große Unkosten gestürzt hatten, sehr an Geld. Er beschloß daher, sich des Apothekergehilfen zu bemächtigen, der, wie er meinte, ihm auf Kommando Gold machen könnte. Doch ehe des Königs Soldaten Böttgers habhaft werden konnten, entfloh dieser über die Grenze nach Sachsen. Allein seine Flucht 15 nützte ihm nichts. Denn kaum war er in Sachsen angelangt, als ihn der Herrscher dieses Landes, Kurfürst August der Starke, nach Dresden, seiner Hauptstadt, bringen ließ und ihm auftrug, Gold für ihn anzufertigen.

Böttger gab sich alle erdenkliche Mühe, irgendwie dem Verlangen 20 des Kurfürsten zu entsprechen, aber es wollte ihm nichts gelingen. Es war gegen Ende des Jahres 1704, als er endlich durch bloßen Zufall doch etwas entdeckte, was zwar kein Gold ergab, wohl aber Gold wert war.

Als August der Starke eines Tages in Böttgers Laboratorium trat, fand er dort Schüsseln und Teller und andere Gefäße vor, die an 25 Härte und schönem Glanz dem berühmten, sehr teuren Porzellan, welches man bis dahin aus dem fernen China bezogen hatte, kaum nachstanden. Die Freude des Kurfürsten kannte nun keine Grenzen, da ihm Böttger gestand, er habe sie selbst hergestellt. Denn der Kurfürst war ein Kenner. Er war ein leidenschaftlicher Liebhaber von Porzellan, 30 was man am besten daraus ersehen kann, daß er einst dem König von Preußen ein ganzes Regiment Dragoner für nur vierzig Porzellangefäße gegeben hatte. Seine Freude war begründet. Böttgers Porzellan war glatt und fest und auch durchsichtig wie das echte, nur daß es noch etwas rötlich aussah, während das chinesische ganz weiß war. Nach 35 einigem Suchen fand auch Böttger eine Tonerde (bei der Stadt Schneeberg in Sachsen), die weiß war, so daß bald darauf die berühmte Porzellanfabrik zu Meißen gegründet werden konnte, deren Erzeugnisse man noch heutzutage zu den schönsten der Welt zählt.

## WORTSCHATZ

**allein** but
**an-fertigen** to prepare, to make
**an-langen** (s) to arrive
**der Apothekergehilfe (-n), -n** apothecary's assistant
**auf-fallen*** (s) to attract attention
**das Aufsehen** stir, sensation
**auf-tragen*** to order, to command
**aus-sehen*** to appear, to look (like)

**begründet** (well) founded

**sich bemächtigen** to get hold (*or* possession) of; *cf.* **die Macht, ¨e** power

**beschließen*** to decide, to resolve; *cf.* **schließen*** to close; *cf.* **das Schloß, Schlösser** lock; castle; *cf.* **der Schlüssel, -** key

**beseelen** to animate; *cf.* **die Seele, -n** soul

**beziehen*** to import, to order (from)

**bis** until; **— dahin** till then

**das Blei** lead

**bloß** mere

**durchsichtig** transparent; translucent

**echt** genuine, real

**edel** precious

**ein-tauschen gegen** (acc.) to trade for

**entfliehen*** (s) to escape

**entsprechen*** to meet, to correspond (to)

**erdenklich** conceivable

**ergeben*** to yield, to produce

**erregen** to create

**erreichen** to reach

**das Erzeugnis, -se** product

**sich fassen** to compose oneself

**die Flucht** flight, escape

**die Flüssigkeit, -en** liquid

**das Gefäß, -e** vessel; *cf.* **fassen** to grasp, to hold

**gelegen** situated; **es kommt mir gerade —** it comes just at the right time

**gelingen*** (impers. w. dat.) to succeed; **es wollte ihm nicht —** he could not do it
**das Gerücht, -e** rumor
**gestehen*** to confess
**die Gewalt** power, force
**der Glanz** luster, gleam
**glatt** smooth
**die Grenze, -n** border; **keine —n kennen*** to know no bounds

**habhaft werden*** (s) (gen.) to seize, to put one's hands on
**die Härte** hardness
**der Herd, -e** hearth
**der Herrscher, -** ruler
**her-stellen** to produce

**irgendwie** somehow

**der Kenner, -** connoisseur, expert
**das Kupfer** copper
**der Kurfürst (-en), -en** elector; *cf.* **küren*** *or* **kiesen*** to choose, to elect

**leidenschaftlich** ardent, passionate
**der Liebhaber, -** fancier

**mangeln** (impers. w. dat.) to lack
**sich Mühe geben*** to take pains

**nach-stehen*** (dat.) to be inferior to
**nächtlich** nightly, every night

**namens** by the name of
**nützen** to avail

**das Porzellan** china

**rötlich** reddish

**(das) Sachsen** Saxony
**die Schüssel, -n** dish
**stürzen** to thrust, to plunge

**der Teller, -** plate
**die Tonerde, -n** potter's clay
**das Treiben** doings, activity

**unedel** ignoble, base
**die Unkosten** (pl.) expenses; **in große — stürzen** to put to great expense

**sich verbreiten** to spread
**das Verlangen** demand
**verwandeln** to change, to transform

**der Wert, -e** value; **an — gleich-kommen*** (s) to equal in value; **wert sein*** (s) to be worth
**die Wundersubstanz, -en** magic substance
**der Wunsch, ⸚e** wish, desire; **den — hegen** to entertain (*or* have) the desire; **dem — nach-kommen*** (s) to comply with the wish

**der Zufall, ⸚e** accident, chance

## FRAGEN

1. Wann lebte Böttger?
2. Was war er von Beruf?
3. Wo arbeitete er oft bis spät in die Nacht?
4. Wonach suchte er?
5. Was erzählten sich seine Nachbarn, denen sein nächtliches Treiben auffiel?
6. Warum kam die angebliche Entdeckung dem König gelegen?
7. Wo nahm Böttger vor den Soldaten des Königs Zuflucht?
8. Was trug ihm August der Starke auf, als er seiner habhaft wurde?
9. In welchem Jahre machte Böttger seine Entdeckung?
10. Wie sah sein Porzellan zuerst aus?
11. Wo fand er eine weiße Tonerde?
12. In welcher berühmten Stadt wurde darauf eine Porzellanfabrik erbaut?

## STILÜBUNG

Start each sentence with (1) the impersonal "es," (2) the impersonal "man sagt."

1. In Berlin lebte einmal ein Apothekergehilfe namens Böttger. 2. Bald hieß es, er habe eine Wundersubstanz erfunden. 3. Ihm gelang es aber nicht, Blei in Gold zu verwandeln. 4. Damals mangelte es ihm an Geld. 5. Den Kurfürsten freute es sehr. 6. Mir geht es auch gut. 7. Ihm tut es wirklich leid. 8. Dem Apotheker dauerte es zu lange. 9. Jetzt wird mir alles klar. 10. Um etwas Wichtiges handelt es sich nicht. 11. Bald darauf wurde die berühmte Porzellanfabrik gegründet.

## FREIE AUFSÄTZE

Schreiben Sie einen kurzen Aufsatz über (a) „Johann Friedrich Böttger" oder (b) „August der Starke" und bedienen Sie sich dabei möglichst folgender Redewendungen: den Wunsch hegen, einem auffallen, sich erzählen, sich verbreiten, nötig haben, in seine Gewalt bekommen, dem Wunsch nachkommen, etwas eintauschen gegen, an Wert gleichkommen, sich zu fassen wissen.

## ÜBERTRAGUNG

1. About 250 years ago [there] lived in Berlin an industrious young man named Böttger.
2. He was [an] apothecary's assistant and often worked till late into the night [trying] to make the dream of the alchemists come true.
3. However, he did not find the mysterious liquid which was to change copper and lead into precious gold.
4. Nevertheless, the rumor soon spread throughout the neighborhood that he had actually discovered the magic substance.
5. When the news of it reached the court, the king was highly elated.
6. He was in urgent need of money and thought that the apothecary's assistant could now produce gold for him as commanded.
7. The king therefore resolved to get Böttger into his power.
8. But before the king's soldiers could seize him, he escaped to Saxony.
9. Scarcely had he arrived in Saxony, however, when the ruler of that country, Elector August the Strong, ordered him brought to the capital.
10. Here he commanded Böttger to make gold for him.

11. The latter took all conceivable pains to produce something that[1] might meet the demand of the Elector.
12. Toward [the] end of the year 1704 Böttger finally discovered by[2] mere chance something which,[1] to be sure, did not yield any gold but was worth gold nonetheless.
13. When August the Strong entered Böttger's laboratory one day, he was astonished to find[3] there a number [of] dishes and plates.
14. He was even more astonished when he observed how closely they resembled the very expensive porcelain which till then had been imported from (the) distant China.
15. The Elector was an ardent fancier of china and had once given the king of Prussia a whole regiment [of] dragoons for 40 vessels of china.
16. He was elated when Böttger confessed that he had made the dishes and plates himself.
17. Although Böttger's china was hard and smooth and had a beautiful luster, it was still somewhat reddish (at first) while genuine china was white.
18. But soon Böttger found near Schneeberg in Saxony large quantities of white clay.
19. Now the famous pottery works at Meissen could be founded.
20. Even today its[4] products rank among the most beautiful in[5] the world.

[1] *Note the antecedent.* [2] *Use* durch. [3] *Use* vor-finden*. [4] *Use* deren. [5] *Translate* of the.

# ·16·

# KAUFEN UND VERKAUFEN

## LESESTÜCK

Wie der Handel, so der Wandel, heißt es schon von altersher. So ist bei den primitiven Völkern zuerst ein einfacher Tausch anzunehmen, dessen Objekte Feuerstein, schlichte Schmuckgegenstände oder Pelzwerk waren. Auch in der indogermanischen Zeit scheint Feuer-
5 stein noch ein begehrter Handelsgegenstand gewesen zu sein. Daneben läßt sich Handel in der Form eines Austausches von Rohmaterialien nachweisen. In der Jungsteinzeit wurden jedoch schon fertige Geräte ausgetauscht, und baltischer Bernstein, zu Schmucksachen verarbeitet, wurde erwiesener Weise bis nach Ägypten verhandelt. In der Metall-
10 oder Bronzezeit waren Rohkupfer und Zinn, in der darauffolgenden Eisenzeit Eisen die wichtigsten Handels- und Werkstoffe.

Ein regelrechtes Kaufen und Verkaufen läßt sich allerdings erst in germanischer Zeit erweisen, obwohl die Germanen an und für sich keine geborenen Kaufleute waren. Im Mittelmeerbecken bewirkte
15 die Einführung des Geldes bereits im Altertum einen großen Aufschwung des Seehandels, der bald in den Händen der Kreter und der Phönizier lag. Etwas später ging die Führung an die Griechen über. Im frühen Mittelalter blühte der Handel der Araber und die Kreuzzüge förderten im elften und zwölften Jahrhundert den Warenaustausch
20 mit dem Abendlande.

Schon in germanischer Frühzeit bestanden Beziehungen mit England, und in den Zeitberichten der Merowinger ist auch von einem direkten Seeverkehr zwischen Köln und den Britischen Inseln die Rede. Am Anfang des sechzehnten Jahrhunderts soll sogar Frankfurt am Main die berühmteste Handelsstadt nicht allein von 25 Deutschland gewesen sein, sondern von fast der ganzen Welt.

Mit der Entdeckung Amerikas und der Auffindung des Seeweges nach Ostindien rissen zuerst die Spanier, dann die Portugiesen den Welthandel an sich, um ihn aber bald an die Engländer abzutreten, die ihre Vormachtstellung bis zur Wende des zwanzigsten Jahrhunderts 30 beibehielten. Um 1950 belief sich der Welthandel auf rund dreißig Milliarden Dollar, von denen ungefähr fünfzehn Milliarden auf Amerika, fünf Milliarden auf England, drei Milliarden auf Kanada und zwei Milliarden auf Frankreich entfielen. Dem Wert nach stehen unter den Welthandelsgütern an der Spitze von Nahrungs- und 35 Genußmitteln Getreide, von Rohstoffen Baumwolle und von Fertigwaren Maschinen.

## WORTSCHATZ

**das Abendland** (the) West
**ab-lösen** to take the place of; to relieve
**ab-treten*** to yield
**(das) Ägypten** Egypt
**von altersher** from time immemorial
**das Altertum** antiquity; *cf.* **das Alter** age
**an** on, at; — **und für sich** in itself, per se
**an-nehmen*** to assume
**der Anschein** appearance
**die Auffindung** finding, discovery
**der Aufschwung** advance, boom
**der Auftrag, ¨e** order
**der Austausch** exchange; *cf.* **aus-tauschen** to exchange

**sich aus-wirken** to have an effect

**baltisch** Baltic
**die Baumwolle** cotton
**begehrt** in demand, wanted
**sich belaufen* auf** (acc.) to run (*or* amount) to
**beleben** to revive
**der Bernstein** amber
**bewirken** to achieve; to cause
**die Beziehung, -en** relation

**die Einführung** introduction
**die Eisenzeit** Iron Age
**entfallen*** (s) to escape one's memory; — **auf** (acc.) to go to; **auf jeden — zwei** everybody gets two
**erweisen*** to demonstrate; *cf.* **weisen*** to show, to refer to, to indicate

**die Fertigware, -n** finished goods
**der Feuerstein** flint
**fördern** to foster
**die Frühzeit, -en** early period
**die Führung** lead, leadership

**das Genußmittel, -** delicacy
**das Gerät, -e** tool
**das Getreide** grain
**der Grieche (-n), -n** Greek

**der Handel** trade; *cf.* **handeln** to trade
**der Handelsgegenstand, ¨e** item of trade
**der Handelsstoff, -e** commercial goods

**die Jungsteinzeit** Neolithic Age

**(das) Köln** Cologne
**der Kreter, -** Cretan
**der Kreuzzug, ⸚e** crusade

**die Merowinger** Merovingians (*members of the first dynasty of Frankish kings who ruled Gaul from about A.D. 500 to 751*)

**die Milliarde, -n** billion
**das Mittelmeerbecken** Mediterranean Basin

**nach-weisen*** to prove, to demonstrate; *cf.* **erweisen*** *above*

**(das) Ostindien** East Indies

**das Pelzwerk** furs
**der Phönizier, -** Phoenician

**regelrecht** regular, systematic
**reißen*** to tear; **an sich —** to capture

**das Rohkupfer** crude copper
**das Rohmaterial, -ien** raw material
**der Rohstoff, -e** raw material

**schlicht** simple; *cf.* **schlecht** bad, poor
**der Schmuckgegenstand, ⸚e** ornament
**der Seeverkehr** sea traffic
**der Seeweg, -e** sea route
**die Spitze, -n** point; **an der — stehen*** to stand at the head (of), to head
**der Sprachgebrauch, ⸚e** colloquial speech

**der Tausch** trade

**über-gehen*** (s) to pass over
**überhaupt** altogether
**die Urzeit, -en** primeval times

**verarbeiten** to make into, to manufacture; *cf.* **verarbeitet** wrought
**verhandeln** to negotiate, to trade
**die Vormachtstellung, -en** dominant position
**der Vorrang** pre-eminence, pre-eminent position

**der Wandel** change; (mode of) life
**die Weise, -n** manner
**der Welthandel** world trade
**die Wende** turn; *cf.* **wenden*** to turn
**der Werkstoff, -e** manufactured goods
**der Wert, -e** value
**die Wirkung, -en** effect

**der Zeitbericht, -e** contemporary account
**das Zinn** tin

## FRAGEN

1. Was für Gegenstände tauschte man in Urzeiten?
2. Wie gestaltete sich der Handel in der Jungsteinzeit?
3. Seit wann kann von einem regelrechten Handel die Rede sein?
4. Was bewirkte die Erfindung des Geldes?
5. Wer löste die Kreter im seefahrenden Handel ab?
6. Von wem übernahmen die Griechen die Führung im Handel?
7. Wie weit erstreckte sich die Handelstätigkeit der Araber?

8. Was hatten die Kreuzzüge zur Folge?
9. Wann wurden die Spanier das führende Handelsvolk?
10. Welche Stellung nahmen die Engländer im Welthandel ein?
11. Wie hoch beläuft sich der Welthandel im Jahre?
12. Welches sind einige der wichtigsten Welthandelsgüter?
13. Wie wirkt sich der Handel im Sprachgebrauch aus?

## STILÜBUNG

(1) Supply the missing genitive. (2) Wherever possible use "blühend," "belebt," "geschäftig," "alt," or "neu" or other appropriate adjectives to modify the noun in the genitive.

1. In frühester Zeit waren schlichte Schmuckgegenstände und Pelzwerk Objekte (trade). 2. Die Einführung (money) bewirkte einen Aufschwung (sea trade). 3. Der Seehandel lag bald in den Händen (Cretans). 4. Im frühen Mittelalter traten die Araber an die Stelle (Greeks). 5. Am Anfang (sixteenth century) war Frankfurt am Main die berühmteste Handelsstadt (Germany). 6. In den Zeitberichten (Merovingians) ist von einem direkten Verkehr zwischen Köln und den Britischen Inseln die Rede. 7. Mit der Entdeckung (America) rissen die Portugiesen den Welthandel an sich. 8. Die Engländer behielten ihre Vormachtstellung bis zur Wende (twentieth century) bei. 9. (England) Handel belief sich um 1950 auf rund fünf Milliarden Dollar. 10. Bedienen Sie sich (genitive).

## NACHERZÄHLUNG

Geben Sie den Inhalt obigen Aufsatzes mündlich kurz wieder und bedienen Sie sich dabei möglichst folgender Ausdrücke: Anschein, verlieren, Einführung, beleben, Vorrang, Auftrag, Wirkung, mächtig, Recht, zählen, überhaupt, annehmen.

## ÜBERTRAGUNG

1. Where (there is) buying and selling, says an old proverb, there is winning and losing.
2. And yet people have been trading[1] from time immemorial.
3. In earliest times trade was largely a form (of) barter, which[2] explains[3] the original connection between the English words "cattle" and "capital" and the close relationship of the German word "Vieh"[4] to the corresponding English expression "fee."
4. Primitive peoples exchanged flint, simple articles of jewelry, and perhaps furs.
5. In the Paleolithic Age raw materials appear to have been in demand [as] articles of exchange.
6. The Indogermanic peoples of the Neolithic Age (already) bartered finished implements; and ornaments fashioned[5] of amber from Jutland were traded all the way to Egypt.
7. However, one cannot speak of[6] regular commerce [much] before the Bronze Age, during which copper, zinc, gold, and bronze were among[7] the most important items of trade.
8. In the Iron Age the exchange of goods was enhanced by the migrations, and the invention of money effected a rapid expansion of trade in antiquity.

[1] *Note tense.* [2] *Use* woraus. [3] *Use a reflexive construction.* [4] das Vieh (cattle) *is cognate to Latin* pecus (flock). *The notion of* money *or* wealth *or* possessions *is inherent in the Latin* pecunia (money) *and* peculium (wealth) *and in the English derivative* fee. [5] *Use* aus jütländischem Bernstein. [6] *Use* es kann die Rede sein* von. [7] *Use* zählen zu *with the dative.*

9. The Cretans and the Phoenicians were among[8] the earliest seafaring tradespeoples.
10. Later, the leadership in trade passed to the Greeks.
11. In the seventh century the business activity of the Arabs extended from southwest Europe to[9] India and China.
12. The Crusades brought about a lively trade with the Orient.
13. With the discovery of America and the finding of the sea route to the East Indies, the Spaniards and the Portuguese became the leading tradespeoples of the world.
14. But they were soon replaced by the English, who maintained the dominant position in world trade up to[10] the end of the nineteenth century.
15. Heading the list[11] of[12] goods in international trade, in terms of value,[13] are: grain, sugar, coffee, tea, cocoa, meat, cotton, wool, silk, wood, coal, petroleum, iron, copper, rubber, machines, metalware, and cottons.
16. All told, world trade presently amounts to more than thirty billion dollars annually.
17. With the increase of trade the number of business (technical) terms has also grown, and [such] terms as "cash price," "to buy for cash" or "on approval," "to buy on credit" or "on terms," "to charge" or "to pay cash," "to pay down" and "to pay up," "to sell below cost" and "to take stock" have passed into everyday speech.
18. Indeed, buying and selling are an integral part of[14] everyday living.

[8] *Use* gehören zu *with the dative.* [9] bis nach. [10] bis zu. [11] *Use* an der Spitze stehen*. [12] *Use* unter. [13] *Begin the sentence with* dem Werte nach. [14] *Use* gehören durchaus zum.

# 17

# DIE DREI RINGE

## LESESTÜCK

Die Parabel von den drei Ringen ist das Kernstück von Gotthold Ephraim Lessings berühmtem Werk, **Nathan der Weise.** Ihr Motiv stammt aus einer Novelle des Boccaccio. Die Parabel beantwortet die Frage nach der besten Religion, die der Sultan Saladin vorlegt, dahin, daß jeder positive Glauben gleich wahr und gleich falsch sei, denn alle seien die notwendigen historischen Formen einer zugrundeliegenden ewigen Wahrheit. Die Ringparabel betont, daß das Wesen des Religiösen die Liebe zu Gott und zu dem Nächsten sei, das sittliche Verhalten der Bekenner eines Glaubens der Prüfstein für dessen Gehalt an echter Religion sei, und daß es somit nicht auf die Form des Glaubens ankomme, sondern auf die Gesinnung, auf die nach ihr gerichtete Tat.

Vor vielen Jahren, heißt es in der Versinnbildlichung Nathans, lebte einst ein reicher und vornehmer Mann im Osten, der einen schönen und köstlichen Ring erwarb, welchen er so schätzte, daß er beschloß, ihn auf immer seiner Nachkommenschaft zu erhalten. (Der Ring hatte nämlich die Kraft, vor Gott und Menschen angenehm zu machen, wenn man ihn in dieser Zuversicht trug.) Darum befahl er, daß derjenige unter seinen Söhnen, dem er diesen Ring hinterlassen würde, als sein Erbe angesehen werden sollte, und daß alle anderen Brüder ihn als Haupt der Familie ehren und ansehen sollten.

Der Sohn, der den Ring erbte, folgte dem Beispiele seines Ahnherrn und beachtete gegen seine Nachkommen dasselbe Verfahren. So wurde der kostbare Ring von Vater auf Sohn durch die Geschlechter vererbt, bis ihn ein Vater bekam, der drei liebenswürdige und tugendhafte 25 Söhne hatte, die ihm alle gleich gehorsam waren und die er alle ebenso lieb hatte. Die Jünglinge, denen das alte Herkommen mit dem Ringe bekannt war, wetteiferten miteinander, sich dessen verdient zu machen.

Der gute Vater, der selbst keine Wahl unter ihnen zu treffen wußte, ersann ein Mittel, sie alle drei zu belohnen. Er ließ einen 30 geschickten Meister heimlich zwei andere Ringe machen, die dem ersten so ähnlich sahen, daß er selbst sie nicht mehr auseinanderhalten konnte. Auf dem Sterbebette gab er dann jedem seiner Söhne insgeheim einen von den drei Ringen.

Nach dem Tode des Vaters wollte nun ein jeder von ihnen der 35 Erbe sein und den Vorrang vor seinen Brüdern behaupten. Ein jeder berief sich auf seinen Ring und klagte den andern des Betrugs an. Der Richter, vor den sie kamen, meinte, alle drei Ringe müßten unecht sein, denn der echte sollte ja den Besitzer bei Gott und Menschen beliebt machen. Er riet den Brüdern jedoch, die Ringe im festen 40 Glauben an die Liebe des Vaters weiterhin zu tragen und sie ihren Kindern und Enkeln weiterzuvererben, damit sich vielleicht nach Jahrtausenden herausstelle, welcher von den Ringen die Zauberkraft des wahren Glaubens besitze.

## WORTSCHATZ

**der Ahnherr (-n), -en** ancestor

**ähnlich** (dat.) similar; — **sehen*** to resemble; **ähneln** to resemble

**angenehm** acceptable, agreeable

**an-klagen** to accuse

**an-kommen*** (s) **auf** (acc.) to depend upon

**an-sehen*** dat. to look at *or* upon; to consider; **angesehen** respected
**auseinander-halten*** to distinguish; to keep apart

**beachten** to observe
**beantworten** to answer
**befehlen*** to command
**behaupten** to maintain
**bekannt** familiar
**das Bekenntnis, -se** faith
**beliebt** beloved
**belohnen** to reward
**sich berufen* auf** (acc.) to give as a reference
**beschließen*** to decide
**betonen** to emphasize
**der Betrug** deceit; *cf.* **betrügen*** to deceive
**Boccaccio** (*1313-1375, great Italian humanist and writer*)

**dahin** to the effect

**ein-setzen** to set in; **sein Leben —** to stake one's life; **zu seinem Erben —** to make (a person) one's heir
**der Enkel, -** grandson
**der Erbe (-n), -n** heir
**erhalten*** to preserve
**ersinnen*** to conceive
**ewig** eternal

**der Gehalt** content
**gehorsam** obedient
**gerichtet** guided
**das Geschick** fate
**geschickt** clever, handy; *cf.* **schicken** to send

**das Geschlecht, -er** generation
**die Gesinnung, -en** attitude, conviction

**heimlich** secretly
**sich heraus-stellen*** to come to light, to be revealed
**herbei-rufen*** to summon
**das Herkommen** tradition
**hinterlassen*** to bequeath, to leave

**insgeheim** secretly

**der Jüngling, -e** youth

**das Kernstück, -e** nucleus; *cf.* **der Kern, -e** kernel, nucleus
**kostbar** costly, precious
**köstlich** precious

**Lessing** (*1729-1781, outstanding German critic and dramatist*)
**liebenswürdig** charming

**das Mittel, -** means

**der Nachkomme (-n), -n** descendant
**die Nachkommenschaft** posterity
**der Nächste (-n), -n** next man, fellow man
**die Novelle, -n** short story

**der Prüfstein, -e** touchstone

**richten** to judge; *cf.* **der Richter, -** judge; *cf.* **das Gericht, -e** court

**schätzen** to treasure
**der Segen, -** blessing
**sittlich** moral
**das Sterbebett, -en** death bed

**tugendhaft** virtuous

**unecht** spurious
**der Unterschied, -e** difference; *cf.* **unterscheiden*** to distinguish

**vererben** to bequeath, to hand down
**das Verfahren, -** procedure
**das Verhalten** conduct, attitude
**die Versinnbildlichung** symbolization
**vor-legen** to present
**vornehm** distinguished, noble
**der Vorrang** pre-eminence
**vor-ziehen*** to prefer

**die Wahl** choice; **die — treffen*** to make the choice
**das Wesen** essence, nature
**weiterhin** further(more)
**wetteifern** to vie (with)

**die Zauberkraft, ¨e** magic power
**zugrundeliegend** basic
**zu-schreiben*** to ascribe
**die Zuversicht** confidence, expectation
**der Zweifel, -** doubt

## FRAGEN

1. Wer lebte vor vielen Jahren im Osten?
2. Welche Kraft schrieb man seinem Ringe zu?
3. Wem schenkte der Mann den Ring vor seinem Tode?
4. Wem hinterließ dieser wiederum den Ring?
5. Auf wen kam endlich der Ring?
6. Welchen von den drei Söhnen zog der Vater vor?
7. Was gab er einem jeden seiner Söhne?
8. Wie konnte man die Ringe voneinander unterscheiden?
9. Wessen Ring galt dann als der echte?
10. Wen luden die Brüder vor Gericht?
11. Was hielt der Richter von den Ringen?
12. Warum meinte er, sie wären falsch?
13. Wem riet er, den Ring dennoch zu tragen?
14. Warum sollten die Brüder an ihre Ringe glauben?
15. Was sollte sich nach Tausenden von Jahren herausstellen?

## STILÜBUNG

(1) Change the active into a passive voice. (2) Rewrite each sentence with "lassen." Example: Der Vater rief den Sohn. Der Vater ließ den Sohn rufen.

1. Sultan Saladin legte dem weisen Nathan die Frage vor, welches die beste Religion sei. 2. Ein vornehmer Mann im Orient erwarb einmal einen köstlichen Ring. 3. Der Vater vererbte den geheimnisvollen Ring auf den Sohn, den er am liebsten hatte. 4. Er holte einen geschickten Meister. 5. Auf dem Sterbebette gab er jedem der Söhne einen Ring. 6. Vor Gericht klagte einer den andern des Betrugs an.

7. Der Richter riet ihnen, den Ring weiterhin im Glauben an die Liebe des Vaters zu tragen.

(3) Rewrite each of the following sentences with "sich lassen."

1. Es scheint, daß die Frage nach der besten Religion durch die Parabel beantwortet werden kann. 2. Es kann nicht behauptet werden, daß eine Religion besser als die andere sei. 3. Der Ring war so wertvoll, daß er nicht ersetzt werden konnte. 4. Dem Ringe konnte eine geheimnisvolle Kraft zugeschrieben werden. 5. Die drei neuen Ringe konnten voneinander nicht unterschieden werden.

## NACHERZÄHLUNG

Geben Sie den Inhalt obiger Parabel mündlich kurz wieder und bedienen Sie sich dabei möglichst folgender verwandter Ausdrücke: Besitz, Glaube, Erbe, einsetzen, lieben, herbeirufen, Unterschied, Segen, Zweifel, geraten, betrügen, insgeheim, Geschick, ähneln, ansehen.

## ÜBERTRAGUNG

1. Many years ago [there] lived in the East a rich and distinguished man who owned a wonderful ring.
2. The ring was beautiful and precious and possessed the hidden power of making its owner beloved by God and man so long as[1] he himself had faith in its[2] virtue.
3. Shortly before his death, the man gave the ring to his favorite son and appointed him heir to his fortune.[3]

[1] *Use* wenn. [2] *Use* dessen. [3] *Use* zum Erben seines Vermögens.

4. Respected by his brothers as the head of the family, the son in turn bequeathed the ring to his favorite son.
5. Thus the ring was handed down from (the) father to[4] (the) son through the generations until it finally came into the possession of[5] one father who had three sons who were all equally dear[6] to him.
6. Since he could not decide to whom he should leave the ring, the good father secretly sent for a skillful jeweler who made two other rings for him which resembled[7] the magic ring so [closely] that [even] he himself could not distinguish the genuine from the spurious.
7. When death drew near, the father called in each [one] of his sons separately, blessed him, and gave him one of the three rings.
8. After the passing of the father, each one of the brothers assumed that he was destined to be[8] the head of the family.[9]
9. As none of them doubted the genuineness of his own ring, a bitter quarrel ensued.
10. They accused one another of deception and haled one another into court.
11. But the judge suggested that all three rings were probably spurious, since the true ring certainly possessed the power of making brothers beloved among one another.
12. Nevertheless, he advised each one of them to continue wearing his ring as a true token of paternal love, to believe firmly in its magic power, and to transmit it to his children and his children's children.
13. After thousands upon thousands[10] of years, he added, it might perhaps become clear which [one] of the rings is actually genuine and whose faith is really true.

[4] *Cf.* Lesestück. [5] *Use* auf *with the accusative.* [6] *Use* einem lieb sein*. [7] *Use* einem ähnlich sehen*. [8] *Use* ausersehen sein* (s). [9] *Use* zum *as in footnote* [3]. [10] *Use* nach Tausenden und aber Tausenden.

# · 18 ·

# DIE SCHWEIZ

## LESESTÜCK

Mit 22 Kantonen, von denen drei in je zwei Halbkantone aufgeteilt sind, ist die Schweiz der älteste selbständige Bundesstaat auf europäischem Boden. Durch die Unterwerfung der Helvetier und Rätier früh an das Römische Reich gelangt, wurden die nordöstlichen und
5 mittleren Teile der Schweiz um 455 von heidnischen Alemannen besetzt, während der Westen an das Burgunderreich fiel. Hier und im Südosten erhielt sich romanisches Volkstum. Nach Chlodowigs Sieg über die Alemannen teilten die Burgunder und die Ostgoten deren schweizerisches Gebiet unter sich. Im sechsten Jahrhundert kam die
10 Schweiz an das Fränkische Reich und im elften Jahrhundert, nach wiederholter Teilung, ganz an das römisch-deutsche Reich.

1273 vereinigte Rudolf von Habsburg die drei Waldstätte Uri, Schwyz und Unterwalden unter habsburgischer Herrschaft. Gegen deren Druck, wie ihn die Tellsage schildert, schlossen diese Urkantone
15 nach Rudolfs Tod im August 1291 in Erneuerung eines früheren ein ewiges Bündnis und wurden 1309 von Heinrich IV. förmlich reichsfrei erklärt. Im Lauf der Jahre traten andere Kantone der Eidgenossenschaft bei, deren Souveränität 1648 durch den Frieden zu Münster anerkannt wurde. 1815 gestand der Wiener Kongreß der Schweiz
20 schließlich ewige Neutralität zu.

Von den vierundeinhalb Millionen Einwohnern, deren Vorfahren im Verlauf einer langen geschichtlichen Entwicklung in der Schweiz zur Vermischung gelangten, sprechen heute ungefähr 73 Prozent Deutsch, 21 Prozent Französisch, 5 Prozent Italienisch und 1 Prozent Romanisch oder Rätoromanisch. Im Verhältnis zu der Größe des 25 von Frankreich, Deutschland, Liechtenstein und Italien umringten Landes — 42000 qkm — weist die schweizerische Landschaft auch eine Vielfältigkeit auf, die für Europa einzigartig ist.

Trotz des Mangels an einheimischen Rohstoffen ist die Industrie der Schweiz, die fast die Hälfte der Bevölkerung beschäftigt, hoch- 30 entwickelt infolge günstiger Verkehrslage und besonderen Reichtums an Wasserkräften. Daneben blühen Handel und Verkehr, wobei auch dem Ackerbau und der Viehzucht keine unbedeutenden Rollen zufallen.

Als Träger europäischer Kultur rühmen sich die Schweizer mit 35 Recht ihrer großen Söhne. Der Reformator Zwingli und der Arzt Theophrastus Paracelsus erwarben sich und ihrer Heimat schon im sechzehnten Jahrhundert den weitesten Ruf in Europa. Der Genfer Jean-Jacques Rousseau zählt zu den größten Dichter-Philosophen der Neuzeit und die Namen zweier Alemannen, des Dichters 40 Gottfried Keller und des Malers Arnold Böcklin, sind aller Welt bekannt.

## WORTSCHATZ

**der Ackerbau** agriculture
**die Alemannen** Alemanni (*a West Germanic tribe*)
**an-erkennen*** to recognize
**angenehm** pleasant
**auf-teilen** to divide up
**auf-weisen*** to show, to display

**bei-treten*** (s) to join
**beschäftigen** to occupy, to employ
**besetzen** to occupy
**sich betrachten** to consider oneself
**betragen*** to amount to
**die Bevölkerung, -en** population; *cf.* **bevölkert** populated
**blühen** to flourish
**der Boden, ⸚** soil
**der Bundesstaat, -en** confederation
**das Bündnis, -se** alliance

**Chlodowig** Clovis I (465?-511, *founder of the Frankish monarchy*)

**der Dichter, -** poet
**der Druck** oppression

**die Eidgenossenschaft, -en** confederation
**einheimisch** indigenous, at home
**einzigartig** unique
**die Entwicklung** development
**sich erhalten*** to survive
**erneuern** to renew
**sich erwerben*** to earn, to gain; **sich einen Ruf —** to gain a reputation

**förmlich** formally; *cf.* **die Form, -en** form, shape

**das Gebiet, -e** territory
**der Genfer, -** (man) from Geneva
**geschichtlich** historical; *cf.* **die Geschichte, -n** story; history
**günstig** favorable; *cf.* **die Gunst** favor

**der Helvetier, -** Helvetian (*member of a Celtic tribe*)

**infolge** as a result of

**der Kanton, -e** canton, district

**die Lage, -n** position, location
**die Landschaft, -en** landscape, area

**der Maler, -** painter

**die Neuzeit** modern age

**das Prozent, -e** per cent

**ragen** to tower
**der Rätier, -** Rhaetian
**mit Recht** rightly
**reichsfrei** subject only to the Emperor
**der Reichtum, ¨er** wealth, abundance
**das Romanisch** Romansh *or* Rhaeto-Romanic
**römisch** Roman
**sich rühmen** (gen.) to boast

**schildern** to describe
**die Schweiz** Switzerland
**selbständig** independent

**die Tellsage** Tell legend
**der Träger, -** bearer, exponent

**die Unterwerfung** subjection

**der Urkanton, -e** original canton

**sich verbünden** to form an alliance
**vereinigen** to unite
**die Verfassung, -en** constitution
**das Verhältnis, -se** relationship, proportion
**die Verkehrslage, -n** position on a highway of communication
**die Vermischung** mixture, fusion
**die Viehzucht** cattle raising
**die Vielfältigkeit** variety
**das Volkstum, ⸗er** nationality, stock
**der Vorfahr (-en), -en** ancestor

**die Waldstatt, ⸗e** forest canton
**wurzeln** to be rooted

**zu-fallen*** (s) to fall (to the lot of), to devolve on
**zu-gestehen*** to concede, to grant

## FRAGEN

1. Was für ein Staat ist die Schweiz?
2. Aus wieviel Kantonen setzt sich die Schweiz zusammen?
3. Wie viele Einwohner hat sie?
4. Wo liegt sie?
5. Wann kam die Schweiz ganz an das deutsche Reich?
6. In welchem Jahre wurden die Urkantone für reichsfrei erklärt?
7. Wie viele Schweizer sprechen Deutsch?
8. Wie ist die schweizerische Landschaft?
9. Warum sind die Schweizer auf Paracelsus stolz?
10. Was war Zwingli?

11. Wo wurde Rousseau geboren?
12. Wem sind Keller und Böcklin bekannt?
13. Womit beschäftigen sich die Einwohner der Schweiz?
14. Woran mangelt es der Schweiz?

## STILÜBUNG

Change every sentence into (1) a complex sentence, (2) an unreal condition (omit 6). Example: Nach der Unterwerfung des Westens durch die Burgunder besetzten die Alemannen die nordöstlichen Teile der Schweiz. Nachdem der Westen an das Burgunderreich gefallen war, besetzten die Alemannen die nordöstlichen Teile der Schweiz. Wenn der Westen nicht an das Burgunderreich gefallen wäre, so würden die Alemannen nicht die nordöstlichen Teile der Schweiz besetzt haben.

1. Nach Chlodowigs Sieg über die Alemannen teilten die Burgunder und die Ostgoten deren schweizerisches Gebiet unter sich. 2. Nach wiederholter Teilung kam die Schweiz an das römisch-deutsche Reich. 3. Nach Rudolfs Tod schlossen die Urkantone ein ewiges Bündnis. 4. Wegen der günstigen Verkehrslage der Schweiz hat sich die Industrie in den Alpenländern stark entwickelt. 5. Bei der großen Anzahl ihrer berühmten Söhne kann sich die Schweiz mit Recht als Träger europäischer Kultur betrachten. 6. Trotz des Gebrauchs von vier Sprachen halten die Schweizer fest zusammen.

## NACHERZÄHLUNG

Geben Sie den Inhalt obiger Beschreibung mündlich kurz wieder und bedienen Sie sich dabei möglichst folgender verwandter Ausdrücke:

Lage, bevölkert, südlich, erneuern, sich verbünden, betragen, ragen, Landschaft, Kelte, kulturell.

## ÜBERTRAGUNG

1. Little[1] Switzerland is a country of many marvels.
2. With an area of only sixteen thousand square miles it is a confederation of twenty-two cantons or minute states.
3. It is situated in the heart of Europe and borders on Germany in the north, on Liechtenstein and Austria in the east, on Italy in the southeast and south, and on France in the west.
4. Within its boundaries[2] on the[3] south rise the snow-capped peaks of the Alps, a mecca of sportsmen and tourists.
5. In the northwest extend the verdant ridges of the Jura, and in between nestle the fertile valleys of the midland.
6. In these valleys dwell approximately two thirds of Switzerland's industrious populace.
7. In addition to agriculture and mining, the four and one half[4] million inhabitants of the mountainous country engage in industry and trade which flourish despite [a] lack of indigenous raw materials and an immediate access to the sea.
8. In the course of its long historical development Switzerland came to be home to different peoples and races.
9. The cultures of these settlers are reflected to this day in the idioms that prevail in the various parts of the country.
10. The German spoken[6] in the central [part] and in the north points to Germanic forebears; the French in the west, to Celtic forebears;

[1] *Use the definite article.* [2] *Use* im Bereich ihrer Grenzen. [3] *Use* im. [4] *Use* vierundeinhalb Millionen. [5] *Use* zur Heimat werden* (s). [6] *Use a relative clause.*

whereas the Italian in the south and the Rhaeto-Romanic in the southeast tell[7] of former days of Roman rule[8].

11. Notwithstanding, or perhaps because of, their ethnic grouping and their varied backgrounds,[9] the Swiss are a peaceable folk, united in their love for their country[10] and proud of their traditional freedom.
12. The confederation of the Swiss has its roots in the cantons [of] Uri, Schwyz, and Unterwalden and in their alliance of 1291 for the[11] defense and preservation of their freedom.
13. In the six centuries of its evolution the oldest republic on European soil has contributed much to the culture of other peoples.
14. The reformer Zwingli was Swiss.
15. Swiss, too, were Paracelsus, the founder of modern medicine, and Pestalozzi, the father of modern education.[12]
16. The poet and philosopher Jean-Jacques Rousseau was a native of Geneva,[13] and the eminent historian Jacob Burckhardt was one of the most famous sons of Basle.
17. But Switzerland has also created a culture of its own.
18. Although the country is small [in size], the list of its poets and artists is long.
19. Its scholars and its universities have won international repute, and its guiding principles have become[14] signposts along the road to a higher civilization.[15]

[7] *Use* zeugen. [8] *Use* von der einstigen Herrschaft Roms. [9] *Use the singular.* [10] *Use* das Vaterland. [11] *Use* zur. [12] *Use* die Pädagogik. [13] *Use* ein gebürtiger Genfer. [14] *Use* werden zu. [15] *Translate* signposts of a higher civilization.

# · 19 ·

## HANS SACHS

### LESESTÜCK

Obwohl er keineswegs die von Goethe und Richard Wagner verherrlichte Dichtergestalt war, so ist der in Nürnberg geborene Schuhmacher Hans Sachs (1494-1576) doch der bedeutendste Vertreter des sechzehnten Jahrhunderts, der die bürgerliche Kunsttradition 5 mittelalterlichen Ursprungs mit Ideen der Reformation und Überlieferungen der Antike vereinte. Geht ihm auch der Sinn für das Große und Heroische ab, so weiß er doch allen Meistersängern voran die einfache Wirklichkeit seiner Welt gemütlich und humorvoll zu gestalten, und aus seinen Werken spricht ein kluger, optimistischer 10 Weltverstand. Zu den gelungensten Leistungen des Hans Sachs gehören seine Fastnachtspiele wie **Der fahrende Schüler aus dem Paradies.**

Dieser „fahrende Schüler", der seit dem frühen Morgen nichts gegessen hatte, kam einmal durch ein kleines Dorf zu dem stattlichen 15 Hause eines reichen Bauers. Der Herr war nicht zu Hause, aber seine Frau, die ihren ersten Mann vor einem Jahre verloren und sich wieder verheiratet hatte, machte die Tür auf und fragte den jungen Mann, was er wolle und wer er sei. Als er ihr klagte, er sei ein armer, fahrender Schüler aus Paris, meinte die Bäuerin, die noch nie von Paris gehört 20 hatte, er sage, er komme aus dem Paradies. Deshalb wollte sie wissen, ob er ihrem ersten Manne im Paradies begegnet sei und wie es diesem dort gehe. Der schlaue Student, der gleich merkte, mit wem er es zu tun hatte, gab vor, daß er den Verstorbenen wohl kenne, daß es ihm aber schlecht gehe, weil es ihm an guten Kleidern und Geld sehr mangle.

Da holte die bestürzte Bäuerin die besten Hemden, Schuhe, Anzüge und Mäntel ihres zweiten Mannes, machte ein großes Bündel daraus, gab dem Schüler außerdem noch zwölf Gulden und bat ihn, alles ihrem ersten Gemahl im Himmel zu bringen. Der Bauer war starr über die Dummheit seiner Frau, als sie ihm später erzählte, was sich zugetragen. Er ließ sich jedoch nichts merken und erbot sich sogar, dem Schüler nachzureiten, um ihm noch etwas Geld auf die lange Reise mitzugeben.

Der Student, der das Bündel indessen hinter einem Busch versteckt hatte, versicherte den ihm nachgeeilten Bauer, der vermeintliche Dieb sei in den Wald geflüchtet. Und während der Bauer im Walde Umschau hielt, setzte er sich aufs Pferd und ritt eiligst davon. Als der Bauer erst spät am Abend nach Hause kam, erklärte er seiner verwunderten Frau, daß er dem Studenten auch das Pferd gegeben habe, damit er um so schneller ins Paradies komme.

## WORTSCHATZ

**ab-gehen*** (s) (impers. w. dat.) to lack
**abgetragen** worn
**der Anzug, ¨e** suit; *cf.* **ziehen*** to draw, to pull
**außerdem** besides

**bestürzt** upset, alarmed
**das Bündel, -** bundle; *cf.* **binden*** to bind
**bürgerlich** of the folk, bourgeois; *cf.* **der Bürger, ¨** citizen

**deshalb** therefore
**die Dichtergestalt, -en** poetic figure
**die Dummheit, -en** stupidity

**ein-holen** to catch up with
**ein-sehen*** to recognize, to come to see
**sich erbieten*** to offer

**das Fastnachtspiel, -e** Shrovetide play
**flüchten** (s) to flee; *cf.* **die Flucht** flight; **fliehen*** (s) to flee

**gelungen** successful; *cf.* **gelingen*** (s) (impers. w. dat.) to succeed
**gemütlich** pleasant, congenial, cosy
**gestalten** to shape, to formulate; *cf.* **die Gestalt, -en** figure, form, shape
**der Gulden, -** guilder

**das Hemd, -en** shirt
**herabgekommen** down and out, run down
**hervor-holen** to fetch (*or* bring) out

**keineswegs** by no means
**klagen** to complain
**die Kleidung** garb, clothes
**die Kunsttradition** *(-tsjọn)* art tradition

**die Leistung, -en** accomplishment, achievement
**literạrisch** literary

**mangeln** (impers. w. dat.) to lack

**der Meistersänger, -** mastersinger
**merken** to realize, to notice
**sich merken** to note; **— lassen*** to let on

**nach-eilen** (s) to hurry after
**nach-reiten*** (s) to ride after
**das Nachsehen haben*** to be left holding the bag

**obwohl** although

**der Schuhmacher, -** shoemaker; *cf.* **der Schuh, -e** shoe
**starr** numb
**stattlich** stately
**sich stellen** to act, to feign; **sich dazu stellen** to say (*or* react) to that
**die Strömung, -en** current, movement

**tun*** to do; **mit wem habe ich es zu tun** with whom am I dealing

**überlassen*** to leave to
**die Überlieferung, -en** tradition
**übertölpeln** to dupe
**Umschau halten*** to look around
**umso** all the (more)
**der Ursprung, ⸚e** origin

**vereinen** to combine
**verewigen** to immortalize
**sich verheiraten** to marry
**verherrlichen** to glorify
**vermeintlich** presumable

**versichern** to assure
**verstecken** to hide
**der Vertreter, -** representative
**verwundert** amazed
**voran** ahead of
**vor-geben*** to represent, to pretend

**der Weltverstand** understanding of the world
**die Wirklichkeit, -en** reality

**sich zu-tragen*** to happen, to take place

## FRAGEN

1. Welche literarischen Strömungen vereinte Hans Sachs?
2. In welcher Oper verewigte ihn Richard Wagner?
3. Wann lebte er?
4. Wo wurde er geboren?
5. Wie heißt sein beliebtestes Fastnachtspiel?
6. Von wem wird darin erzählt?
7. Was meinte die Bäuerin, als der fahrende Schüler ihr sagte, er sei aus Paris?
8. Wozu gab sie ihm die besten Kleider ihres Mannes?
9. Wie verhielt sich ihr zweiter Mann dazu?
10. Warum wollte er dem Studenten nachreiten?
11. Wo holte der Bauer den Studenten ein?
12. Was hatte der Student indessen mit dem Bündel getan?
13. Wie gelangte der Student zu dem Pferde des Bauers?
14. Was erzählte der Bauer seiner Frau, als er zu Fuß nach Hause kam?
15. Wie stellte sich die Bäuerin dazu?

## STILÜBUNG

(1) Use all descriptive adjectives as adverbs: Example: Der lustige Junge sang vor sich hin. Der Junge sang lustig vor sich hin.

1. Der fleißige Schuhmacher schrieb Gedichte. 2. Hans Sachs weiß die einfache Wirklichkeit seiner Welt humorvoll zu gestalten. 3. Seine guten Fastnachtspiele lassen sich noch heute lesen. 4. Der hungrige Schüler kam zu dem Hause des Bauers. 5. Die neugierige Frau fragte ihn, ob er ihren Mann gesehen habe. 6. Als die mitleidige Bäuerin das hörte, lief sie ins Haus zurück. 7. Der eilige Student machte sich aus dem Staube. 8. Der erschrockene Bauer ritt ihm nach. 9. Der verwunderte Mann sah seine Frau an. 10. Das muntere Pferd trabte dahin.

(2) Reduce the relative clauses to adjectival modifiers. Example: Hans Sachs war ein Dichter, der von Richard Wagner verherrlicht worden ist. Hans Sachs ist ein von Richard Wagner verherrlichter Dichter.

1. Wir kennen Hans Sachs als einen Meistersänger, der von keinem Dichter seiner Zeit übertroffen wurde. 2. Zu den besten Stücken, die Hans Sachs geschrieben hat, gehört das Spiel vom fahrenden Schüler. 3. Die Bauersfrau, die von ihrem Mann allein zu Hause gelassen worden war, machte die Tür auf. 4. Der fahrende Schüler entfernte sich schnell mit dem Bündel, das ihm von der Frau mitgegeben worden war. 5. Der Bauer fand die Geschichte, die ihm seine Frau erzählte, sonderbar. 6. Der Student versicherte dem Bauer, der ihm nachgeeilt war, daß der Dieb sich im Walde versteckt habe. 7. Dann bestieg er das Pferd des Bauers, der im Walde Umschau hielt, und ritt eilig davon. 8. Den müden Mann, der erst spät am Abend nach Hause kam, empfing die Frau herzlich.

## NACHERZÄHLUNG

Geben Sie den Inhalt obigen Aufsatzes mündlich kurz wieder und bedienen Sie sich dabei möglichst folgender verwandter Ausdrücke: Kleidung, Nachsehen, einholen, herabkommen, hervorholen, einsehen, vorgeben, abtragen, überlassen, übertölpeln.

## ÜBERTRAGUNG

1. No German poet of the sixteenth century combines so fully the spirit of the late Middle Ages and the Reformation as [does] the cobbler and poet Hans Sachs, whom Richard Wagner immortalized in his comic opera, **The Meistersinger of Nuremberg.**
2. Hans Sachs is the classic and at the same time also the most prolific representative of the popular literature of that age.
3. The thirty-four handwritten volumes of his works contain, in addition to seven dialogues in prose, 4275 master songs, 73 secular and religious songs, and 1700 poems in rhymed couplets, including his 208 "plays."
4. The deep moral earnestness and broad[1] mischievous humor of Hans Sachs are especially apparent in the plays.
5. In one of them, a Shrovetide play,[2] we are told[3] about a traveling scholar, who once came to the home of a rich peasant.
6. The peasant was not at home, and his wife opened the door.
7. When the scholar told her that he was from Paris, she understood him to say[4] paradise and asked him whether he had seen her first husband who had died some years ago.
8. The clever scholar realized immediately with whom he was dealing[5] and assured her that he knew her first husband well.

[1] *Use* derb. [2] *Cf.* "Der fahrende Schüler aus dem Paradies." [3] *Use* wird . . . erzählt. [4] *Use* meinte sie, er sage. [5] *Use* er es zu tun hatte.

9. What is more,[6] he pretended that her first husband was unhappy because he was in great need of[7] clothes and money.
10. The peasant's wife then fetched her second husband's best shirts, coats, trousers, and shoes and tied them into a bundle.
11. She gathered up all [the] money she could find in the house and gave both[8] to the scholar with the request [that] he take[9] it [all] to her dear husband in paradise.
12. When the peasant came home, he was dumbfounded by[10] his wife's stupidity.
13. But he did not show[11] his anger.
14. On the contrary, he told her that she probably had not given the student enough[12] money for so long a[13] trip.
15. He quickly saddled his best horse and rode [off] after him.
16. The scholar, however, soon noticed that he was being[14] followed.
17. He hid the bundle behind a bush and assured the peasant, who questioned him about it, that he had[15] just seen a man with a bundle run into the forest.
18. The peasant then asked him to hold his horse and took after the thief on foot.
19. As soon as the peasant was out of sight, the scholar seized the bundle, mounted the horse, and made off in great haste.
20. The peasant realized too late that the scholar had made a fool of him also.
21. But his wife was happy when he told her that he had found the scholar and had given him the horse as well to enable[16] him to get to paradise more quickly.

[6] *Use* dazu gab er noch vor. [7] *Use* weil es ihm an . . . sehr mangelte. [8] *Use* beides. [9] *Use* er möge . . . ins Paradies bringen. [10] *Use* über *with the accusative.* [11] *Use* er ließ sich . . . nicht merken. [12] *Use* kaum genug. [13] *Place* a *before* so long. [14] *Use an impersonal construction with* man. [15] *Use a perfect subjunctive.* [16] *Use* damit er . . . ins Paradies komme.

# · 20 ·

# DER BÖSE FÜRST

## LESESTÜCK

Es war einmal ein böser und übermütiger Fürst, der nur darauf sann, durch seinen Namen Furcht einzuflößen. Seine Soldaten fuhren umher mit Feuer und Schwert, zertraten das Korn auf den Feldern und zündeten den Bauern das Haus über dem Kopf an. Der Fürst meinte, 5 es müsse so sein. Seine Macht wuchs Tag für Tag. Sein Name wurde von allen gefürchtet. Vom Glück begünstigt, führte er von den eroberten Städten große Schätze heim. Er ließ prächtige Schlösser, Kirchen und Hallen bauen, und ein jeder seiner Untertanen, der diese Herrlichkeiten erblickte, sagte: „Welch ein großer Fürst!“ Niemand 10 gedachte der Not, die er über andere Länder gebracht hatte. Keiner von ihnen hörte die Seufzer und den Jammer, der sich von den eingeäscherten Städten erhob.

Der Fürst betrachtete sein Gold, er sah seine prächtigen Gebäude, meinte auch, er sei ein großer Fürst, und dachte bei sich: „Ich muß 15 mehr haben, viel mehr!“ Er fiel über seine Nachbarn her und besiegte sie alle. Die überwundenen Könige ließ er mit goldenen Ketten an seinen Wagen fesseln, wenn er durch die Straßen fuhr.

Nun ließ er seine Statue auf den Plätzen und in den königlichen Schlössern errichten. Ja, er wollte, sie solle in den Kirchen vor dem 20 Altar stehen. Aber die Priester sagten, daß sie es nicht wagten. Denn der Fürst sei zwar groß, aber Gott sei doch größer. „Wohlan", entgegnete der böse Herrscher, „dann überwinde ich auch Gott!" Und in seines Herzens Übermut ließ er sich ein künstliches Schiff bauen, womit man die Luft durchschiffen konnte. Hunderte von starken Adlern wurden vor das Schiff gespannt, und so flog er nun die Sonne an.

Da entsandte Gott einen einzigen seiner unzähligen Engel, und der böse Fürst ließ Tausende von Kugeln gegen ihn fliegen. Aber die Kugeln prallten gleich Hagel von den glänzenden Flügeln des Engels ab. Nur ein Blutstropfen, ein einziger, tröpfelte von den Schwingen und fiel auf das Schiff, in dem der König saß. Der Tropfen lastete gleich tausend Zentnern Blei und riß das Schiff in stürzender Fahrt gegen die Erde nieder. Und als es zuletzt in den dicken Baumzweigen hängenblieb, lag der Fürst halbtot da.

Der Fürst war kaum zu sich gekommen, als er ausrief: „Ich will Gott besiegen. Ich habe es geschworen. Mein Wille soll geschehen!" Er ließ nun Schiffe mit Blitzstrahlen von härtestem Stahl schmieden, mit denen er des Himmels Befestigungen sprengen wollte. Er sammelte große Kriegsheere und hieß sie die Flugschiffe besteigen. Als aber der König sich dem seinen näherte, da entsandte Gott einen Mückenschwarm. Der umschwirrte den König und stach dessen Antlitz und Hände. Dieser zog im Zorn sein Schwert, schlug aber nur in die leere Luft, denn die Mücken konnte er nicht treffen. Da gebot er, daß man ihn in einen Teppich wickle, den keine Mücke mit dem Stachel durchdringen konnte. Aber eine Mücke setzte sich auf die innere Seite des Teppichs, kroch dem Fürsten ins Ohr und stach ihn dort so, daß er wie toll den Teppich fortschleuderte, sich die Kleider zerriß und nackt vor den wilden Soldaten umhertanzte, die nun des tollen Fürsten spotteten, der Gott bestürmen wollte und von einer kleinen Mücke überwunden worden war.

# WORTSCHATZ

**ab-prallen** (s) to bounce off
**der Adler, -** eagle
**an-fliegen*** to fly toward, to head for
**der Angriff, -e** attack
**an-rufen*** to call
**das Antlitz, -e** face
**an-zünden** to set on fire; **das Haus über dem Kopf —** to burn the roof over the head of
**der Aufstieg, -e** ascent

**der Befehl, -e** command
**die Befestigung, -en** fortification, fortress
**befriedigen** to satisfy
**begünstigen** to favor; *cf.* **die Gunst** favor
**bekriegen** to wage war on
**besiegen** to defeat
**besteigen*** to climb aboard; to mount; to board
**bestürmen** to besiege
**betrachten** to examine, to look at
**bewundern** to admire
**der Blitzstrahl, -en** ray of lightning
**der Blutstropfen, -** drop of blood

**der Druck** pressure
**durchdringen*** to pierce
**durchschiffen** to sail through

**ein-äschern** to reduce to ashes; *cf.* **die Asche** ash(es)
**ein-flößen** to inspire; *cf.* **fließen*** (s) to flow

**entgegnen** to retort, to reply
**entsenden*** to dispatch
**erblicken** to behold, to see
**sich erheben*** to rise up
**erobern** to conquer
**errichten** to erect
**erschrecken** to frighten

**die Fahrt, -en** trip, journey; speed
**fesseln** to fetter, to tie up
**Folge leisten** to obey
**fort-schleudern** to hurl aside

**das Gebäude, -** building, structure
**gebieten*** to command; *cf.* **bieten*** to bid, to offer
**gedenken*** (gen.) to remember

**habgierig** avaricious
**der Hagel** hail
**hängen-bleiben*** (s) to come to rest
**her-fallen*** (s) **über** (acc.) to fall upon, to attack
**die Herrlichkeit, -en** splendor
**himmelwärts** skyward

**der Jammer** wailing, grief

**kaum** no sooner
**die Kette, -n** chain
**das Korn** grain
**kriechen*** (s) to creep
**das Kriegsheer, -e** army

**die Kugel, -n** bullet
**künstlich** artificial, intricate

**lasten** to weigh; **die Last, -en** load

**die Mücke, -n** gnat; **der Mückenschwarm, ⸚e** swarm of gnats

**nackt** naked
**sich nahen** to approach
**sich nähern** to approach
**nieder-reißen*** to pull down

**prächtig** splendid

**der Schatz, ⸚e** treasure
**schmieden** to forge
**das Schwert, -er** sword
**die Schwinge, -n** wing
**schwirren** (s) to whir
**schwören*** to swear, to take an oath
**der Seufzer, -** sigh
**sichten** to sight
**sinnen* auf** (acc.) to plan, to plot, to scheme
**spannen vor** (acc.) to hitch to
**spotten** to mock; **der Spott** mockery
**sprengen** to blast
**der Stachel, -n** sting; *cf.* **stechen*** to sting, to prick, to stab
**der Stahl** steel
**stürzen** (s) crash; *cf.* **der Sturz** crash

**der Teppich, -e** rug, carpet

**toll** mad
**tröpfeln** (s) to drip, to drop; *cf.* **der Tropfen, -** drop

**der Übermut** arrogance
**überwinden*** to overpower, to overcome
**umher-fahren*** (s) to go about
**umher-tanzen** (s) to dance about
**umschwirren** to whir about
**der Untertan, -en** subject
**unzählig** innumerable; *cf.* **die Zahl, -en** number

**wagen** to dare
**wohlan** well

**der Zentner, -** hundredweight (*cf. Latin* centum)
**zertreten*** to trample down
**das Zinn** tin
**zwar** to be sure

## FRAGEN

1. Worauf sann der böse Fürst?
2. Was taten seine Soldaten?
3. Womit gab der Fürst sich zufrieden?
4. Wer fürchtete ihn?
5. Über wen fiel er her?
6. Was tat er mit den eroberten Schätzen?
7. Was wagten die Priester nicht?
8. Wozu entschloß sich darauf der Fürst?
9. Womit flog er himmelwärts?

10. Wem begegnete er?
11. Wo blieb das stürzende Schiff hängen?
12. Wie wollte der Fürst nun den Himmel sprengen?
13. Wen entsandte Gott diesmal?
14. Wohin setzte sich eine Mücke?
15. Warum verspotteten den Fürsten schließlich seine eigenen Soldaten?

## STILÜBUNG

(1) Rewrite each sentence without "lassen" or "heißen." Example: Der Vater ließ den Sohn rufen. Der Vater rief den Sohn. (2) Use "den Befehl geben," "gebieten," or "befehlen" (with a following "daß"-clause) instead of "lassen" or "heißen "

1. Der Fürst ließ prächtige Schlösser bauen. 2. Er ließ die überwundenen Könige fesseln. 3. Danach ließ er eine Statue errichten. 4. Der böse Fürst hieß die Priester rufen. 5. Er ließ Kugeln gegen den Engel feuern. 6. Er hieß die Kriegsheere sich (zu) versammeln. 7. Er ließ Teppiche holen. 8. Er ließ sich in die Teppiche einwickeln.

## NACHERZÄHLUNG

Geben Sie den Inhalt obigen Märchens mündlich kurz wieder und bedienen Sie sich dabei womöglich folgender Wörter und Ableitungen: habgierig, erschrecken, mächtig, bekriegen, Bau, bewundern, befriedigen, Befehl, Druck, Aufstieg, sichten, Sieg, sich nahen, Angriff.

## ÜBERTRAGUNG

1. There was once a wicked prince who derived a fiendish delight from the sufferings of others.
2. His greed knew no bounds, and even[1] his name spread terror among his subjects.
3. Yet fortune followed him in all his ventures and his power grew day by day.
4. He waged war upon[2] his neighbors and reduced their cities to ashes.
5. With the conquered treasures, he then built magnificent castles and churches which elicited widespread admiration and led[3] everyone to exclaim: "What a great prince!"
6. But the prince said: "I must have more, much more!"
7. He did not content himself with the monuments erected in his honor in[4] the public squares and in the royal palaces.
8. He wanted his statue to stand[5] in all the churches in front of the altar.
9. However, the priests replied: "You are truly great, oh Prince, but God is greater. We dare not [do] it."
10. "Very well," said the wicked prince, to whom one might not mention any power which would be equal to, let alone[6] greater than, his, "then I shall overcome God also!"
11. And he commanded his naval architects to build a ship with which one could sail through the air.
12. The ship was equipped with [a] thousand rifles.
13. One needed only to press on a spring to cause[7] a thousand bullets to [come] flying out and the rifles were reloaded immediately as before.

[1] *Use* schon *or* sogar. [2] *Use* bekriegen. [3] *Use* lassen*. [4] *Use* auf. [5] *Use a dependent clause with* daß. [6] *Use* oder gar. [7] *Use* dann flogen . . . hinaus.

14. Hundreds of powerful eagles were hitched to[8] the strange vehicle.
15. Straightway the prince sat down in the middle of the ship and headed for the sun.
16. Drawing the ship behind them,[9] the eagles rose higher and higher, and, before long,[10] an angel came to meet them.
17. As soon as the wicked prince caught sight of him, he let thousands of bullets fly at[11] him.
18. But the bullets glanced off the shining wings of the angel.
19. Only one drop of blood trickled down from his white pinions and fell upon the ship, in which sat the prince.
20. That drop, however, burned its way into the planks.
21. It weighed upon the ship like [a] thousand tons of lead, and the ship plunged down to (the) earth again.
22. There it finally came to rest[12] in the thick branches[13] of the trees of a forest.
23. When the prince regained consciousness, he exclaimed defiantly: "I will defeat God! I have vowed it. My will shall be done!"[14]
24. He had thousands upon thousands of airships built and bolts of lightning forged of [the] hardest steel with which he intended to blast the fortress of (the) heaven.
25. He assembled great armies, which covered an area of several miles when they were drawn up man to[15] man.
26. They boarded the vessels, ready to sail.[16]
27. But as the prince himself approached his ship, he was surrounded by a swarm of gnats.
28. The gnats stung his face and his hands.
29. In his wrath the prince drew his sword and swung at the gnats, but he could not hit a single one [of them].

[8] *Use* vor *with the accusative.* [9] *Use* hinter sich her. [10] *Use* es dauert nicht lange, bis. [11] *Use* gegen. [12] *Use* hängenbleiben* (s). [13] *Two successive genitives are generally avoided in German. Instead use a compound, as* der Baumzweig, -e. [14] *See Vocabulary.* [15] *Use* bei. [16] *Use* zur Fahrt.

30. Then he bade costly carpets to be brought.
31. In these he wrapped himself, since no gnat could penetrate them with its sting.
32. Yet one gnat, which had alighted on the inner side of one of the carpets, crawled into his ear and stung him there.
33. Beside himself with[17] fury and pain, the prince hurled down the carpets.
34. He tore his clothes from his body[18] and danced around wildly before his coarse soldiers, who now mocked the mad prince that had dared to attack God but had been defeated by a single small gnat.

[17] *Use* vor *with the dative.* [18] *Use* sich vom Leibe.

· 21 ·

# FERNSEHEN UND FERNHÖREN

## LESESTÜCK

Fernsprechen, Fernhören und Fernsehen zählen zu den schönsten Errungenschaften der Neuzeit. Die Aufgabe der Fernsprechtechnik besteht darin, die menschliche Sprache (Stimme) auf weite Entfernungen mit Hilfe des elektrischen Stroms auf Leitungen zu übertragen. Dabei werden die Schallschwingungen der gesprochenen Worte in elektrische Ströme verwandelt und diese dann am Ort des Empfanges wieder in Schallschwingungen zurückverwandelt. Zur Umwandlung der elektrischen Ströme in Schallschwingungen dient der Fernhörer, zur Umwandlung der Schallschwingungen in elektrische Ströme das Mikrophon. Beide sind bei den heute gebräuchlichen Fernsprechern an einem Handgriff, dem Hörer, befestigt, das Mikrophon mit der Sprechmuschel unten, der Fernhörer mit der Hörmuschel oben.

Beim Rundfunk erfolgt die für eine große Höreranzahl bestimmte drahtlose Übermittlung von Nachrichten, Musikdarbietungen und Vorträgen zum Zweck der Unterhaltung und der Bildung in ähnlicher Weise wie beim Telephonieren. Die von der Tonquelle ausgehenden Schallwellen werden zunächst im Mikrophon in elektrische Stromschwankungen umgewandelt, dann in einer Verstärkervorrichtung verstärkt und daraufhin dem Sender aufgegeben, von dem sie nach allen Richtungen des Raumes hin gleichmäßig ausgestrahlt werden.

Die Einrichtung zur Übertragung des Bildes belebter Szenen

weicht von der Radiosendung nur darin ab, daß die fortlaufenden Aufnahmen in einzelne Lichtpunkte aufgelöst werden, die nacheinander der Gegenstation übermittelt werden, indem die Apparatur 25 — die einfachste ist die Nipkowscheibe — die Szene sozusagen Punkt für Punkt durch einen Lichtstrahl abtastet. Auf der Empfangsseite baut ein synchronisiert laufender Apparat aus den Einzelpunkten das entsprechende Bild so rasch wieder auf, daß es das menschliche Auge als Ganzes empfindet. 30

Die erste deutliche Übertragung der menschlichen Stimme auf eine Leitung gelang schon 1861. Doch fängt die Fernsprechtechnik eigentlich mit Alexander Graham Bells Fernhörer im Jahre 1876 an. Die vorerst langsame Entwicklung des Rundfunks nahm um 1923 in den USA und etwas später in Europa stürmisches Tempo an, mit dem 35 der in den letzten Jahren zur praktischen Brauchbarkeit entwickelte Bildfunk fast schon Schritt hält.

## WORTSCHATZ

**ab-tasten** to scan
**ab-weichen*** (s) to vary, to deviate
**an-nehmen*** to assume
**auf-bauen** to build up, to erect; **wieder —** to reconstruct
**auf-fallen*** (s) to be noticeable, to strike (the attention)
**die Aufgabe, -n** task, purpose
**auf-geben*** to pass on (*or* transmit) to
**auf-kommen*** (s) to come up *or* into vogue
**auf-lösen** to resolve, to reduce
**die Aufnahme, -n** photograph; (video)scope
**aus-gehen*** (s) **von** (dat.) to emanate from
**aus-strahlen** to beam; *cf.* **der Strahl, -en** ray, beam

**befestigen** to fasten; *cf.* **fest** firm, fast
**belebt** live
**die Bequemlichkeit, -en** convenience
**bestehen* aus** (dat.) to consist of; **seine Aufgabe besteht darin** it is his task
**bestimmt** destined
**der Bildfunk** television
**die Bildung** education
**die Brauchbarkeit** use(fulness); *cf.* **brauchen** to use

**deutlich** clear, distinct
**drahtlos** wireless; *cf.* **der Draht, ⸚e** wire; *cf.* **drehen** to turn, to twist

**einfach** simple
**die Einrichtung, -en** contrivance
**ein-stellen** to tune in
**der Empfang, ⸚e** reception; *cf.* **fangen*** to catch; **die Empfangsseite, -n** receiving end
**empfinden*** to perceive
**die Entfernung, -en** distance
**entsprechen*** to correspond to; *cf.* **die Sprache, -n** speech; language
**die Entwicklung, -en** development
**erfolgen** (s) to ensue, to take place
**die Errungenschaft, -en** achievement; *cf.* **ringen*** to wring, to wrest; to wrestle

**fern** far, remote, tele-
**das Fernhören** radio, audio
**der Fernhörer, -** (telephone) receiver
**das Fernsehen** television, video

**die Fernsprechtechnik** telephony
**fortlaufend** continuous

**gebräuchlich** usual; in use
**die Gegenstation, -en** receiving station
**die Gewohnheit, -en** habit, custom
**gleichmäßig** uniform(ly)

**der Handgriff, -e** handle; *cf.* **greifen*** to grip, to grasp
**die Hilfe** help, aid; *cf.* **helfen*** to help
**der Hörer, -** receiver
**die Höreranzahl** number of listeners; *cf.* **die Anzahl** number; *cf.* **zählen** to count
**die Hörmuschel, -n** earpiece

**die Leitung, -en** line, wire
**der Lichtpunkt, -e** dot of light

**menschlich** human
**die Musikdarbietung, -en** musical offering

**nacheinander** in succession, successive(ly)
**die Nachricht, -en** news
**die Nipkowscheibe, -n** Nipkow disk
**die Notwendigkeit, -en** necessity

**die Richtung, -en** direction
**die Rückverwandlung, -en** changeback
**der Rundfunk** radio
**die Rundfunkgemeinschaft, -en** radio audience

**die Schallschwingung, -en** (acoustic) vibration

**die Schallwelle, -n** sound wave
**der Schöpfer, -** creator
**der Schritt, -e** step, pace; **— halten* mit** (dat.) to keep pace with
**der Sender, -** transmitter
**die Sprache, -n** language; **die menschliche —** (the) human speech
**die Sprechmuschel, -n** mouthpiece
**die Stimme, -n** voice
**der Strom, ¨-e** current
**die Stromschwankung, -en** electric oscillation; *cf.* **schwanken** to vary
**stürmisch** stormy, violent

**die Tonquelle, -n** source of sound

**die Übermittlung** transmission
**übertragen*** to convey, to pick up
**die Umsetzung, -en** change; transposition
**die Umwandlung, -en** change, conversion; *cf.* **um-wandeln** to change, to convert
**die Unterhaltung** entertainment; *cf.* **unterhalten*** to amuse, to entertain
**unzählig** innumerable

**verstärken** to strengthen; to amplify
**die Verstärkervorrichtung, -en** amplifier
**verwandeln** to change
**der Vortrag, ¨-e** lecture

**zählen** to count; **— zu** (dat.) to belong (to), to be included in *or* among
**zurück-verwandeln** to change back
**der Zweck, -e** purpose

## FRAGEN

1. Wozu zählen Fernsehen und Fernhören?
2. Worin besteht die Aufgabe der Fernsprechtechnik?
3. Was geschieht im Mikrophon?
4. Wo werden die elektrischen Ströme in Schallschwingungen umgewandelt?
5. Wie erfolgt die Übermittlung beim Rundfunk?
6. Was wird dem Sender aufgegeben?
7. Wie weicht die Übertragung des Bildes von der Radiosendung ab?
8. Was ist eine Nipkowscheibe?
9. Wann gelang die erste deutliche Übertragung der menschlichen Stimme?
10. Womit fängt die Fernsprechtechnik eigentlich an?
11. In welchem Jahre setzte die rasche Entwicklung des Rundfunks ein?
12. Seit wann ist der Bildfunk praktisch brauchbar?

## STILÜBUNG

Change (1) the passive into the active voice and (2) the present into the future tense.

1. Die Schallschwingungen des gesprochenen Wortes werden mittels Mikrophon in elektrische Ströme verwandelt. 2. Die Stromschwankungen werden vom Sender nach allen Richtungen des Raumes hin gleichmäßig ausgestrahlt. 3. Die fortlaufenden Aufnahmen werden durch eine Nipkowscheibe in einzelne Lichtpunkte aufgelöst. 4. Die Szene wird sozusagen Punkt für Punkt durch einen Lichtstrahl abgetastet. 5. Auf der Empfangseite wird das Bild durch einen synchronisiert laufenden Apparat rasch wieder aufgebaut.

## NACHERZÄHLUNG

Geben Sie den Inhalt obigen Aufsatzes mündlich kurz wieder und bedienen Sie sich dabei möglichst folgender Ausdrücke: Schöpfer, Gewohnheit, Umsetzung, Rückverwandlung, Notwendigkeit, auffallen, Rundfunkgemeinde, Bequemlichkeit, aufkommen, unzählig.

## ÜBERTRAGUNG

1. When Morse succeeded in changing electrical current into sound, he created the basis on which telephone, radio, and television are built.
2. Needless to say,[1] once one has[2] become accustomed to them, life[3] in the twentieth century scarcely seems conceivable without these modern means of communication.
3. Since 1900, for example, the number of telephones in operation has gone up from some two million to over[4] seventy million.
4. Radios are now a commonplace, and it won't be long before[5] most people also have television sets.
5. In the case of the telephone, the sound is picked up by the[6] microphone in the mouthpiece of one receiver and converted into electrical waves.
6. In the earpiece of the second receiver at the other end of the line the electrical current is instantaneously changed back into mechanical waves that reproduce faithfully the sound of the source.
7. In[7] radio the sound is transmitted in much the same way.[8]

[1] *Use* bemerken. [2] *Begin with* hat. [3] *Translate* so wird einem . . . ein Auskommen . . . kaum denkbar erscheinen. [4] *Use* auf mehr als. [5] *Translate* es dauert sicherlich nicht mehr lange, so haben. [6] *Use* im. [7] *Use* beim. [8] *Use* auf ganz ähnliche Weise.

8. First the sound waves are turned into electrical oscillations in the microphone.
9. Then they are amplified and passed on to a transmitter, which beams them uniformly into space.
10. Television uses in addition an apparatus that changes light waves into corresponding electrical variations.
11. With [the] aid of a so-called Nipkow disk and a photoelectric cell, to mention only one type, the video images[9] are reduced to dots of light[10] and converted into electrical waves.
12. In the television receiving set the image is then restored so swiftly by a reverse process that the human eye [merely] perceives the picture as [a] whole.[11]
13. All this is very complicated, and yet it seems very natural to us today.
14. One walks up to the telephone, lifts up the receiver, dials the number, and[12] someone answers at the other end of the line in almost no time at all,[12] though he may[13] be hundreds of miles away.
15. Or one is seated comfortably in an easy chair and turns on the radio and listens to the newscast, a stimulating lecture, or a fine musical program.
16. With a good set one can easily tune in distant stations and even get Germany, Africa, and the Near East on a shortwave set.
17. If the reception is poor and one does not like the program, the announcer, or the advertisement, one need only press a button on[14] some radios and television sets to tune in another station.
18. In many countries radio and television are government-operated, and the costs are defrayed by license fees.

[9] *Use* die zu übertragenden Bilder. [10] *Use* in einzelne Lichtpunkte. [11] *Use* als Ganzes. [12] *Begin the clause with* und schon. [13] *Use* sei er auch. [14] *Use* bei.

19. In the United States both radio and television are[15] in private hands and hence must pay for themselves.[16]
20. Both systems have advantages and disadvantages, and it is difficult to say which of them[17] provides the best and most varied form of entertainment.

[15] *Use* liegen*. [16] *Use* sich durch sich selbst bezahlt machen. [17] *Use* von beiden.

# · 22 ·

# DIE BRAUT VON MESSINA

## LESESTÜCK

Im Bestreben der Antike nahezukommen, schuf Schiller in der **Braut von Messina** ein dramatisches Kunstwerk, das nicht einfach dem Theaterbesucher einen geistigen Genuß verschaffen, sondern die Massen ergreifen, erschüttern und erheben will. Die Handlung, der durch die Verwendung des Chors übermenschliche Größe, Würde 5 und Ruhe verliehen wird, erinnert an den **Oedipus** des Sophokles. Doch unterscheidet sie sich von diesem wesentlich dadurch, daß Schiller trotz Verwendung des Schicksalsgedankens die Schuld in die Brust der Menschen legt. Die Fabel des Bruderzwistes selbst ist alt, aber das Erhabene an dem Drama ist die echt Schillersche Art, 10 Menschen im Kampf mit den Leidenschaften, im Ringen um sittliche Reinheit, um die Überwindung dämonischer Neigungen zu zeigen.

Die Rolle des Orakels im **Oedipus** spielen in der **Braut** die Traumdeutungen. Der Fürst von Messina hat in einem nächtlichen Traum zwei Lorbeerbäume und zwischen ihnen eine Lilie erblickt, die sich 15 plötzlich in eine Flamme umwandelt und alles um sich her verschlingt. Ein Araber deutet das seltsame Gesicht dahin, daß eine Tochter dem Fürsten beide Söhne töten und seinen ganzen Stamm vernichten werde. Der Fürst gibt daher den strengen Befehl, seine darauf geborene Tochter sofort ins Meer zu werfen. 20

Allein der Fürstin hat vor ihrer Entbindung geträumt, sie habe im Grase ein Kind spielen und zu dessen Füßen fromm gepaart einen Löwen und einen Adler liegen sehen. Da ihr ein Mönch eröffnet, das

Kind sei eine Tochter, die die streitenden Gemüter ihrer Söhne in
25 Liebe vereinen werde, läßt sie das Mädchen retten und es in einem Kloster heimlich auferziehen.

Jahre vergehen. Der Fürst stirbt und ein Bruderkrieg droht das Land zu verwüsten. Da gelingt es der Mutter endlich, ihre Söhne zu einer friedlichen Begegnung zu veranlassen. Vor Freude vertraut sie
30 ihnen das Geheimnis von der verborgenen Schwester, und ein jeder der Söhne bekennt wiederum, daß sein Herz bereits gewählt habe und daß er der Mutter bald die Geliebte zuführen wolle.

Es stellt sich aber heraus, daß beide Brüder ein und dasselbe Mädchen lieben und als Don Cesar Beatrice in den Armen des Don
35 Manuel findet, ersticht er ihn, weil er sich betrogen wähnt. Zu spät folgt die grausige Enthüllung, daß die Geliebte, um derentwillen er sich zum Brudermorde hat hinreißen lassen, seine Schwester sei. Verzweifelt gibt er sich den Tod, mit dem das alte Fürstenhaus erlischt.

## WORTSCHATZ

**ab-weichen*** (s) to deviate
**der Adler, -** eagle
**der Anlaß, Anlässe** occasion
**die Antike** antiquity
**auf-erziehen*** to bring up, to rear
**sich aus-söhnen** to reconcile

**die Bedeutung, -en** meaning, significance
**die Begegnung, -en** meeting
**bekennen*** to confess
**beleben** to revive
**das Bestreben** striving, effort

**betrügen*** to deceive
**bezwecken** to intend, to have in mind
**der Brudermord, -e** fratricide
**der Bruderzwist, -e** fraternal conflict

**der Dienst, -e** service
**deuten** to interpret
**drohen** to threaten

**die Entbindung, -en** confinement
**die Enthüllung, -en** revelation, disclosure
**erblicken** to spot, to see
**ergreifen*** to grip, to grasp, to seize, to captivate
**erhaben** sublime
**erheben*** to elevate, to uplift
**erlöschen*** to become extinct, to expire
**eröffnen** to disclose
**erschüttern** to stir
**erstechen*** to stab to death

**die Feier, -n** celebration
**fromm** pious
**fußen** to be based

**das Geheimnis, -se** secret
**geistig** intellectual
**die Geliebte** (adj. decl.) sweetheart
**das Gemüt, -er** temper, disposition
**der Genuß, Genüsse** enjoyment
**das Gesicht, -e** vision, apparation
**grausig** gruesome

**die Handlung, -en** action
**heimlich** secretly; *cf.* **das Geheimnis, -se** secret
**sich heraus-stellen** to turn out, to appear
**sich hinreißen lassen*** to be carried away
**hin-weisen* auf** (acc.) to call attention to

**die Leidenschaft, -en** passion; *cf.* **leidenschaftlich** passionate
**die Lilie, -n** lily
**der Lorbeerbaum, ¨e** laurel tree
**der Löwe (-n), -n** lion

**der Mönch, -e** monk, friar

**nahe-kommen*** (s) (dat.) to approach, to come near
**die Neigung, -en** inclination, tendency

**paaren** to pair, to couple

**die Reinheit** purity
**das Ringen** struggle

**schaffen*** to create; *cf.* **schaffen** to work, to accomplish
**das Schicksal, -e** fate
**seltsam** strange
**sittlich** moral
**Sophokles** Sophocles (*495 ?-406 ? B. C., famous Greek tragedian*)
**der Stamm, ¨e** family, house, progeny
**streiten*** to quarrel
**streng** strict, stern

**der Traum, ¨e** dream; *cf.* **träumen** to dream

**übermenschlich** superhuman
**die Überwindung** conquest, triumph
**um-gestalten** to change, to transform
**sich unterscheiden*** to differentiate

**veranlassen** to induce
**verbergen*** to hide
**vereinen** to unite
**vergehen*** (s) to pass
**verleihen*** to bestow (upon), to endow
**vermitteln** to mediate
**vermögen*** to be able
**vernichten** to destroy
**verschaffen** to procure, to give
**verschlingen*** to devour
**vertrauen** to trust, to confide in
**die Verwendung, -en** application, use
**verwüsten** to lay waste
**verzweifeln** to despair
**das Vorbild, -er** example; **vorbildlich** exemplary
**vor-ziehen*** to prefer

**die Wahl, -en** selection, election
**wähnen** to believe; *cf.* **der Wahn** delusion
**wesentlich** essentially
**die Wiedergabe, -n** reproduction, rebroadcast
**wiederum** in turn
**die Würde, -n** dignity

**zu-führen** to lead to, to bring to
**der Zwist, -e** conflict

## FRAGEN

1. Wann wurde die **Braut von Messina** vollendet?
2. Welches klassische Drama hat dem deutschen Dichter dazu als Vorbild gedient?
3. Was stellt die Tragödie dar?
4. Worauf fußt die Fabel des Dramas?
5. Was sah der Fürst von Messina im Traum?
6. Wie legte ein Araber seinen Traum aus?
7. Wer erklärte den Traum der Fürstin?
8. Wo wurde Beatrice auferzogen?
9. Was entzweite ihre Brüder?
10. Wann entdeckte die Fürstin den Söhnen ihr Geheimnis?
11. Wen wählten diese sich zur Braut?
12. Warum erstach Don Cesar seinen Bruder?
13. Wie sühnte er dann die grausige Tat?
14. Was hat Schiller mit der **Braut von Messina** bezweckt?
15. Wie weicht sein Drama von der griechischen Tragödie ab?

## STILÜBUNG

(1) Use "es verstehen," "es vorziehen," "es vermögen," or "es lieben" to introduce the predicate as an infinitive construction in sentences 1, 2, 3, and 4. Example: Schiller schrieb packende Dramen. Schiller verstand es, packende Dramen zu schreiben. (2) Use "dahin deuten, daß," "darauf hinweisen, daß," "darauf bestehen, daß," or "damit rechnen, daß" to introduce the predicate as an infinitive in sentences 5, 6, 7, and 8. Amplify the sentences accordingly.

1. Schiller schuf ein dramatisches Kunstwerk. 2. Er verlieh der Handlung Würde und Ruhe. 3. Er legte die Schuld in die Brust der Menschen. 4. Er zeigt die Überwindung dämonischer Neigung. 5. Beide Brüder lieben ein und dasselbe Mädchen. 6. Die Tochter eint beide Brüder. 7. Ein Mädchen tötet beide Brüder. 8. Die Brüder lassen vom Streite ab.

## NACHERZÄHLUNG

Geben Sie den Inhalt obigen Dramas mündlich kurz wieder und bedienen Sie sich dabei möglichst folgender Wörter: Wiedergabe, Dienst, leidenschaftlich, Anlaß, sich aussöhnen, Wahl, Bedeutung, Feier, beleben, umgestalten, vermitteln, vorbildlich.

## ÜBERTRAGUNG

1. Schiller's **Braut von Messina** is a work of art of [the] first rank.
2. Completed in 1802, the drama represents an attempt to render an old subject in a new form.
3. As no other work of Germany's great dramatist, the tragedy of the enmity of two brothers strives to reconcile[1] Hellenic belief in an unrelenting fate with[2] the sense of freedom of [the] ethical man.
4. Although Sophocles' **Oedipus** served Schiller as [a] model, the German drama portrays in true Schiller-like fashion [the] man in his struggle with his passions.
5. The theme is simple.
6. A heavy curse rests upon the house of the Prince of Messina, and the day of its[3] consummation draws near.

[1] *Use* nach Vermittlung zwischen. [2] *Use* und. [3] *Use the definite article.*

7. The Prince has a dream in which he sees a lily growing up between two laurel trees.
8. Suddenly the lily changes to[4] fire and consumes everything around[5] it.
9. The two laurels, an Arab explains, are the Prince's sons, Don Cesar and Don Manuel; the lily is a daughter, as yet unborn,[6] who will cause the death of both.
10. After the daughter's birth the Prince therefore commands the girl to be thrown[7] into the sea at once.
11. But his wife saves the child because she also has had a dream, and a monk has interpreted it to mean[8] that the girl, whom she names Beatrice, will some day unite both brothers in love.
12. Years pass.
13. Secretly raised in a nunnery, Beatrice grows into a beautiful maiden,[9] while bitter hatred divides her brothers more and more.
14. After the death of the Prince their enmity threatens to destroy the little country.
15. Desperate, the Princess summons her two sons.
16. A reconciliation is effected,[10] and, to celebrate it, she discloses to her sons that they have a sister.
17. Overjoyed, they confess in turn that their hearts[11] have made their choices,[11] and each promises soon to present his bride to the happy mother.
18. However, both brothers have chosen the same girl, who is their own sister.
19. Don Cesar finds Beatrice in the arms of his brother and stabs him [to death] in [a fit of] blind jealousy.
20. To expiate the hideous crime,[12] he then takes his own life.

[4] *Use* in *with the accusative.* [5] *Use* um sich her. [6] *Use* eine noch ungeborene Tochter. [7] *Use an active infinitive.* [8] *Use* dahin. [9] *Use* zur blühenden Jungfrau. [10] *Use* es kommt zur Versöhnung. [11] *Use the singular.* [12] *Use* die Tat, -en.

21. Both dreams have come true[13] and the old princely line has become extinct.
22. Schiller has done his utmost to bring to life again[14] the ancient tragedy.
23. Yet the fate of the house of Messina is no longer made dependent upon the supra-mundane power, as the Greeks knew it, but evolves solely from the nature of the actions of the *dramatis personae*.

[13] sich erfüllen. [14] *Use* zu neuem Leben zu erwecken.

# · 23 ·

## OBERAMMERGAU

### LESESTÜCK

Das weltberühmte Oberammergau der Passionsspiele liegt im Tale der Ammer am Fuße der Bayrischen Alpen dicht an der österreichischen Grenze. Es ist ein Dorf von etwa 5200 Einwohnern, das weithin auch als Sommerfrische und Wintersportplatz bekannt ist. Neben der
5 Fremdenindustrie — Ackerbau und Viehzucht sind nur Nebenerwerb — treiben die Oberammergauer meist die Holzschnitzerei. Wenn aber das Passionsjahr naht, dann legen die Bewohner des Dorfes ihre Schnitzwerkzeuge beiseite und bereiten sich auf das große Ereignis, auf das Passionsspiel, vor. Denn es bedeutet die Ehre und das Wohl-
10 ergehen der ganzen Dorfgemeinde. Ungefähr 1300 Oberammergauer — mehr als 300 von diesen haben Sprechrollen — wirken beim Passionsspiel mit. Die andern sind als Musiker oder in irgendeiner andern Weise dabei tätig.

Obwohl das Oberammergauer Spiel auf die geistlichen Spiele
15 zurückgeht, die seit dem frühen Mittelalter zur Oster- und zur Weihnachtszeit in vielen Dörfern und Städten Deutschlands aufgeführt wurden, stammen sichere Nachrichten darüber erst aus der ersten Hälfte des siebzehnten Jahrhunderts. Im Jahre 1633 wütete nämlich in Bayern die Pest, und auch Oberammergau blieb nicht
20 verschont. In ihrer Verzweiflung warfen sich die Bewohner des Dorfes auf die Knie und gelobten, alle zehn Jahre das Spiel von der Passion Christi zu wiederholen, wenn Gott ihr Flehen erhören sollte.

Und als kein Oberammergauer mehr an der Pest starb, führten sie schon im nächsten Jahre ihrem frommen Gelübde entsprechend ein Passionsspiel auf. 25

Wiederholt erweitert und umgearbeitet, enthält es heute die Leidensgeschichte Jesu vom Einzug in Jerusalem bis zur Auferstehung, umrahmt von den Gesängen eines Chors und unterbrochen von lebenden Bildern, welche Szenen des Alten Testaments darstellen. Hohes künstlerisches Können und tiefer religiöser Ernst haben den 30 Aufführungen Weltruf verschafft. Die Wirkung auf die Zuschauer, deren Zahl jedesmal in die Hunderttausende geht, ist immer erschütternd. Ein berühmter Darsteller des Christus hat einmal gesagt, daß das Spiel oft das Gute geweckt hat, das in jedem Menschen verborgen ist. 35

## WORTSCHATZ

**die Auferstehung** resurrection
**auf-führen** to perform

**sich belaufen* auf** (acc.) to run (*or* amount) to
**der Bewohner, -** inhabitant; *cf.* **der Einwohner** inhabitant

**dar-stellen** to portray; *cf.* **der Darsteller** portrayer, actor
**davon-kommen*** (s) to escape, to get away
**dicht** close (to)
**die Dorfgemeinde, -n** village community

**der Einzug, ⸚e** entry
**entsprechend** according to, in keeping with
**das Ereignis, -se** event

**erliegen*** (s) to succumb
**ernst** serious, earnest
**erschütternd** moving, stirring
**erweitern** to enlarge

**das Flehen** supplication; *cf.* **flehen** to beg, to implore, to pray
**die Fremdenindustrie, -n** tourist trade

**geistlich** spiritual, sacred, religious
**geloben** to vow; *cf.* **loben** to praise
**das Gelübde, -** vow
**der Gesang, ⸚e** song; chant

**der Holzschnitzer, -** wood carver; *cf.* **die Holzschnitzerei** wood carving

**irgendein** some(one)

**lebende Bilder** pantomimes, tableaux
**die Leidensgeschichte, -n** (story of the) passion

**mit-wirken bei** (dat.) to take part in

**nahen** (s) to draw near
**der Nebenerwerb, -e** side line

**ob-liegen*** to devolve upon

**die Pest** pestilence, plague

**das Schnitzwerkzeug, -e** carving tool
**die Sommerfrische, -n** summer resort

**spielen** to play, to act
**die Sprechrolle, -n** speaking part
**stammen** to stem (from)

**tätig** active; *cf.* **die Tat, -en** deed; *cf.* **tun*** to do
**treiben*** to carry on

**um-arbeiten** to revise
**umrahmen** to frame
**unterbrechen*** to interrupt

**verschonen** to spare
**die Verzweiflung** desperation
**sich vor-bereiten auf** (acc.) to prepare (oneself) for; *cf.* **die Vorbereitung, -en** preparation

**die Wahrscheinlichkeit, -en** probability
**weithin** widely
**der Weltruf** world fame
**die Wirkung, -en** effect
**das Wohlergehen** well-being
**wüten** to rage; *cf.* **die Wut** rage, madness

**der Zuschauer, -** spectator

## FRAGEN

1. Wo liegt Oberammergau?
2. Wie viele Einwohner hat es?
3. Womit beschäftigen sich die Oberammergauer?

4. Wie oft wird ihr Passionsspiel aufgeführt?
5. Worauf fußt das Oberammergauer Passionsspiel?
6. Wann gelobten die Oberammergauer es aufzuführen?
7. Wie viele Dorfbewohner wirken jetzt dabei mit?
8. Wie viele von diesen haben Sprechrollen?
9. Wie betätigen sich indessen die übrigen Oberammergauer?
10. Was enthält das Passionsspiel?
11. Wie lange dauert die Aufführung?
12. Wie hoch beläuft sich jedesmal die Zahl der Zuschauer?
13. Wie wirkt das Passionsspiel auf sie?
14. Was hat den Aufführungen Weltruf verschafft?

## STILÜBUNG

(1) Rewrite the entire paragraph without conjunctions and dependent clauses. (2) Start each new sentence with an adverbial expression of time.

1. Obwohl das Oberammergauer Spiel auf die geistlichen Spiele zurückgeht, die seit dem frühen Mittelalter zur Oster- und zur Weihnachtszeit in vielen Dörfern und Städten Deutschlands aufgeführt wurden, stammen sichere Nachrichten darüber erst aus der ersten Hälfte des siebzehnten Jahrhunderts. 2. Im Jahre 1633 wütete nämlich in Bayern die Pest, wobei auch Oberammergau nicht verschont blieb. 3. In ihrer Verzweiflung warfen sich die Bewohner des Dorfes auf die Knie und gelobten, alle zehn Jahre das Spiel von der Passion Christi zu wiederholen, wenn Gott ihr Flehen erhören sollte. 4. Und als kein Oberammergauer mehr an der Pest starb, führten sie schon im nächsten Jahre ihrem frommen Gelübde entsprechend ein Passionsspiel auf.

## NACHERZÄHLUNG

Geben Sie den Inhalt obigen Aufsatzes mündlich kurz wieder und bedienen Sie sich dabei möglichst folgender Ausdrücke: spielen, Holzschnitzer, Wirkung, Bayern, Wahrscheinlichkeit, erliegen, davonkommen, Wahl, obliegen, Vorbereitung.

## ÜBERTRAGUNG

1. Not far from Garmisch-Partenkirchen, at the foot of the Bavarian Alps, lies Oberammergau, the world-famous village of the Passion Plays.
2. The actual history of the village of approximately five thousand inhabitants, whose principal occupation is wood carving, extends back to[1] the ninth century.
3. The Passion Play itself[2] undoubtedly goes back to the religious plays that were performed as early as[3] the twelfth century during the Easter[4] and Christmas seasons[4] in many towns and villages of Germany and probably also in Oberammergau.
4. According to an old chronicle from the time of the Thirty Years' War, in which perished two thirds of the eighteen million inhabitants of Germany, a terrible pestilence raged in the country [in] 1633.
5. Hundreds of people died every day, and Oberammergau too was[5] not spared.
6. In the little village alone eighty-four people died within a few days.

[1] *Use* in *with the accusative.* [2] *Use* an sich. [3] *Use* schon. [4] *Use* zur Oster- und Weihnachtszeit. [5] *Use* bleiben* (s).

7. Full of despair, the inhabitants of Oberammergau assembled in their small church and vowed for[6] all time to give[7] their play of the life and death of Christ at certain intervals if God would spare them.
8. When their plea was heard[8] and not a single other person[9] died of[10] the plague in Oberammergau, the villagers remained loyal to their vow.
9. In the following year they performed a Passion Play, and, with few exceptions, they have repeated it every ten years since then.
10. When the year of the Passion Play[11] draws near, young and old lay[12] aside their woodcarving tools and prepare for[6] the great event.
11. Some[13] thirteen hundred villagers, of whom more than three hundred have speaking roles, participate in[14] the play [itself].
12. They are chosen from [among] the populace of Oberammergau by[15] a committee of twenty-two persons.
13. The rest of the villagers take part in[14] the performances [either] as musicians or in some other way.
14. All hope and work for the success of the play, which lasts fully[16] eight hours from eight o'clock in the morning until six o'clock in the afternoon, with an intermission of two hours in the middle of the day.[17]
15. The performances of the simple villagers of Oberammergau are always stirring, and hundreds of thousands of people flock to their play from all corners[18] of the earth.

[6] *Use* auf *with the accusative*. [7] *Use* wiederholen. [8] *Use* erhören. [9] *Use* kein einziger Oberammergauer mehr. [10] *Use* an *with the dative*. [11] *Use* Passionsjahr. [12] *Use the singular*. [13] *Use* etwa. [14] *Use* tätig sein* (s) bei. [15] *Use* durch. [16] *Use* volle. [17] *Use* mit einer Mittagspause von zwei Stunden. [18] *Use* Ecken und Enden.

# · 24 ·

# HEINRICH HEINE

## LESESTÜCK

Um die Wende des achtzehnten und neunzehnten Jahrhunderts zu Düsseldorf geboren, schwankte Heinrich Heine, der mehr als jeder andere Dichter seiner Generation Sinnbild und Ausdruck seiner Zeit war, zeitlebens zwischen Romantik und Realismus. Da der Versuch seiner Familie, ihn früh zum Kaufmann auszubilden, mißlang, ließ 5 man ihn in Bonn und Göttingen und vorübergehend auch in Berlin Rechtswissenschaft studieren. Er wendete aber sein Augenmerk auf die deutsche Sprache und Literatur und widmete sich immer mehr der Poesie, obwohl er 1825 in Göttingen zum Doktor der Rechte promovierte. 10

Die reizenden Schilderungen im ersten Bande seiner **Reisebilder** und die gelegentlich eingestreuten schönen Verse, namentlich in der **Harzreise,** erregten schon 1826 großes Aufsehen. Ein paar Monate später machte ihn das Erscheinen seines **Buches der Lieder,** das Perlen hervorragenden Könnens birgt, mit einem Schlage beliebt und berühmt. 15 Wie kein zweites Buch Heines ist es in der Folgezeit in den geistigen Besitz der Deutschen eingegangen.

Als Lyriker hat Heine wie kaum ein anderer vor ihm die Dichtung zur Trägerin lebendiger Zeitgedanken gemacht. Dabei hat er das unsterbliche Verdienst, eine bildsame metrische Form geschaffen 20 zu haben, die in der Hand des Meisters des höchsten und zartesten Ausdrucks fähig ist. Als Prosaist hat er die Ausdrucksmöglichkeiten der deutschen Sprache unendlich verfeinert und die Farben, das Tempo und die musikalischen Klänge des Stils bedeutend erhöht.

25 Wiewohl Heine im Grunde ein Kunstmensch war und mit allen Fasern seines Wesens um künstlerische Vollendung rang, zog er 1831 — von den freiheitlichen Gedanken der Julirevolution erfüllt — nach Paris, um einerseits, oft mit Witz und beißendem Spott, den Deutschen französische Eigenart näherzubringen, anderseits um die 30 Franzosen mit deutschem Wesen vertraut zu machen. Nach langem, qualvollem Leiden, das er mit großer Standhaftigkeit und ungebeugten Geistes ertrug und das ihm in poetischer Hinsicht einige seiner reifsten Gedichte entlockte, starb Heinrich Heine 1856 in der Fremde und wurde auf dem Montmartre-Kirchhofe zu Paris begraben. In 35 seinen Gedichten, die vielfach in Musik gesetzt worden sind, lebt er aber immer noch fort.

## WORTSCHATZ

**das Aufsehen** stir, sensation
**das Augenmerk** attention
**aus-bilden** to train
**der Ausdruck, ⸚e** expression; *cf.* **drücken** to press

**bedeutend** significant
**begraben** buried; *cf.* **graben*** to dig; **das Grab, ⸚er** grave
**bergen*** to hide, to conceal; to contain
**berühmt** famous
**der Besitz** possession; heritage
**die Bestimmung, -en** disposition; destiny
**bettlägerig** bedridden
**bildsam** pliable, flexible

**drucken** to print; *cf.* **drücken** to press

**die Eigenart, -en** peculiarity, characteristic
**ein-gehen*** (s) to enter in; — **in** (acc.) to become a part of
**die Einsicht** realization
**ein-streuen** to intersperse
**entlocken** to elicit from
**erregen** to excite, to create
**erscheinen*** (s) to appear
**ertragen*** to bear, to endure

**fähig** capable of
**die Faser, -n** fiber, nerve
**fehl-gehen*** (s) to go wrong; to miscarry, to fail
**die Folgezeit** period which follows
**freiheitlich** liberal

**gelegentlich** occasionally; *cf.* **die Gelegenheit, -en** occasion
**das Grab, ⸚er** grave; *cf.* **graben*** to dig
**im Grunde** fundamentally

**hervorragend** outstanding
**die Hinsicht** respect, regard; **in jeder —** in every respect

**die Julirevolution** revolution in Paris, July 27-29, 1830
**der Jünger, -** disciple; *cf.* **jung** young

**der Kirchhof, ⸚e** cemetery
**der Klang, ⸚e** sound
**der Kunstmensch, -en** man of artistic tastes

**das Leiden** suffering

**mißlingen*** (s) to fail
**die Möglichkeit, -en** possibility; *cf.* **möglich** possible
**Montmartre** Montmartre (*northern section of Paris*)

**näher-bringen*** to bring closer
**namentlich** particularly, especially

**die Perle, -n** pearl
**promovieren** to be graduated; **zum Doktor der Rechte** — to be awarded the degree of Doctor of Laws
**der Prosaist, -en** writer of prose

**qualvoll** torturing, tormenting

**die Rechtswissenschaft, -en** jurisprudence
**reizend** charming
**die Romantik** Romanticism

**die Schärfe, -n** sharpness; *cf.* **scharf** sharp
**die Schilderung, -en** description
**der Schlag, ⸚e** blow
**schwanken** to sway, to waver
**das Sinnbild, -er** symbol
**der Spott** mockery
**die Standhaftigkeit** steadfastness

**der Träger, -** bearer; *cf.* **tragen*** to carry, to bear
**der Traum, ⸚e** dream

**unendlich** infinite
**ungebeugt** upright
**unsterblich** immortal

**das Verdienst, -e** merit; *cf.* **verdienen** to earn, to deserve; *cf.* **dienen** to serve
**verfeinern** to refine
**der Versuch, -e** attempt
**vertraut machen** to familiarize
**vielfach** repeatedly
**die Vollendung** perfection
**vorüber-gehen*** (s) to pass
**der Vorzug, ⸚e** preference

**die Wende, -n** turn; *cf.* **wenden*** to turn
**das Wesen** being, nature
**sich widmen** to dedicate oneself to
**wiewohl = obwohl = obgleich** although
**der Witz** wit, satire

**zart** tender
**der Zeitgedanke (-ns), -n** contemporary thought *or* opinion
**zeitlebens** all one's life

## FRAGEN

1. Wann wurde Heine geboren?
2. Was sollte er zuerst werden?
3. Warum bezog er 1819 die Universität?
4. Wo promovierte er?

5. Was veröffentlichte er vor 1825?
6. Welche Werke machten ihn berühmt?
7. Was ist Heines unsterbliches Verdienst?
8. Wie hat er die deutsche Prosa verfeinert?
9. Wann zog Heine nach Paris?
10. Warum wanderte er nach Frankreich aus?
11. Wie ertrug er sein qualvolles Leiden?
12. Wann starb er?
13. Wo liegt er begraben?
14. Wie oft sind seine Gedichte in Musik gesetzt worden?

## STILÜBUNG

(1) Rewrite each sentence to reflect the figurative meaning of a corresponding verb in the Lesestück. (2) Insert "nicht" in each sentence.

1. Der Mann schwankt auf dem Brette hin und her. 2. Er wendet sich langsam nach rechts. 3. Auf diesem Wege geht er fehl. 4. Er zieht ihn in die Höhe. 5. Der Dichter birgt das Buch unter dem Arm. 6. Die Gelder gehen langsam ein. 7. Er bringt den Stuhl etwas näher. 8. Sie setzt den Stuhl an den Tisch.

## NACHERZÄHLUNG

Geben Sie den Inhalt obigen Abrisses mündlich kurz wieder und bedienen Sie sich dabei möglichst folgender Ausdrücke: Bestimmung, Einsicht, drucken, Vorzug, Liebe, Schärfe, bettlägerig, Grab, Jünger, Traum.

## ÜBERTRAGUNG

1. Heinrich Heine (1797-1856) is considered by many [as][1] Germany's greatest lyric poet after Goethe.
2. Some[2] fifty years younger than Goethe, Heine was first meant to be a merchant.[3]
3. But it soon became apparent that he was not suited for that calling, and in December, 1819, he matriculated at[4] [the University of] Bonn.
4. Officially he studied law; in reality he devoted himself to the study of (the) history and (the) aesthetics.
5. In the following year he transferred to [the University of] Göttingen, and shortly thereafter he went to [the University of] Berlin.
6. In the spring [of] 1824 he returned to Göttingen, where, in July, 1825, he was awarded the [degree of] doctor of laws.
7. Prior to his graduation Heine had published a collection of poems (1822) and two tragedies (1823), **Almansor** and **William Ratcliff**.
8. However, none of these attracted much attention.
9. But when the first volume of his **Reisebilder** appeared in 1826, it was received with wide acclaim, and the **Buch der Lieder,** sent to the press[5] a few months later, ultimately made him the[6] most popular poet in all [of] Germany.
10. Yet, despite his fame, Heine was never quite happy.
11. In his youth he fell in love first with the elder [daughter] and then with the younger daughter of his very wealthy uncle, but both cousins preferred more practical husbands.
12. After the publication of his famous early works, he dreamed of a professorship at[4] Munich, but that, too, was in vain.

[1] *Use an active construction with* halten* für (acc.). [2] *Use* etwa. [3] *Use* zum Kaufmann bestimmt. [4] *Use* in. [5] *Use* in Druck geben* *in a relative clause.* [6] *Use* zum.

13. He had hopes[7] that the July Revolution would bring greater freedom for the German people.
14. Instead (of that) the political situation in Germany induced him to emigrate to France in 1831.
15. From the capital of France he wanted to call attention to Germany's sorry state of affairs with cutting wit and biting satire.
16. But[8] he did not succeed in doing that either.
17. Moreover, he had always been sickly, and in France his suffering grew worse.
18. Heine had to spend the last eight years of his life in (the) bed.
19. Widely loved, just as widely hated, he died in 1856, a poet without [a] country.
20. He lies buried in the Montmartre (Cemetery) in Paris.
21. Heine's poems have been set to music far more often than those of any[9] other German poet, including Goethe.[10]
22. His portrayals of the North Sea stand[11] unparalleled in (the) German literature, and the charm and freshness of his prose point to new possibilities of expression in the German language.

[7] Von der Julirevolution versprach er sich mehr Freiheit... [8] Aber das gelang ihm ebenfalls nicht. [9] *Use* irgendein. [10] *Use* Goethe miteingerechnet. [11] *Use* dastehen*.

# · 25 ·

# DAS UNERWÜNSCHTE WUNDER

## LESESTÜCK

Zwei junge Ärzte, die wohl anderswo keine Anstellung erhalten hatten, erschienen einmal in einer kleinen Stadt und kündigten an, daß sie nicht nur imstande wären, jede Krankheit zu heilen, sondern auch Tote wieder zu erwecken vermochten. Die Bestimmtheit, mit welcher die beiden Fremden von ihrer Kunst sprachen, machte die 5 Leute auch bald nachdenklich. Und als die Ärzte sich gar bereit erklärten, an dem und dem Tage irgendeinen Toten, den man ihnen bezeichnen sollte, wieder ins Leben zu rufen, geriet das Städtchen in eine seltsame Aufregung.

Am Tage vor dem großen Wunder erhielten die zwei geheimnis- 10 vollen Gesellen einen Brief von einem angesehenen Manne der Stadt, worin er ihnen fünfzig Louisdor zustellte und ihnen nahelegte, seiner seligen Frau doch die ewige Ruhe zu gönnen, denn es wäre schrecklich, wenn die mit Leiden Behaftete in ihre zerrüttete Hülle zurückkehren müßte. Diesem Briefe folgten andere. Ein Neffe schrieb, er sei um 15 seinen lieben Onkel besorgt, den er beerbt hatte. Es sei diesem nämlich sein Lebtag schrecklich gewesen, wenn ihn jemand geweckt hätte, erklärte er. Er halte es daher für seine Pflicht, dem Onkel den Todesschlaf zu wahren und erbiete sich indessen zu einer ansehnlichen Entschädigung. In allergrößter Angst war jedoch der Stadtarzt, denn 20 er fürchtete, daß die Patienten, die er unter die Erde gebracht, wieder zum Vorschein kommen möchten und wer weiß was ausschwatzen.

Der Bürgermeister, der erst seit kurzem im Amt war und manchen Vorgänger unterm Boden hatte, erhob sich endlich auf einen all-
25 gemeinen Standpunkt. Er sagte sich, daß die Ruhe und Ordnung der Stadt nicht zu erhalten wäre, wenn die beiden Wundermänner die Toten wieder ins Leben zurückbringen sollten, und beschloß, ein halboffizielles Schreiben an die Heilkünstler zu entsenden. Darin forderte er sie auf, in der ihm von Gott anvertrauten Stadt von ihrer
30 Kunst keinen Gebrauch zu machen, sondern sogleich abzureisen und alles beim alten bewenden zu lassen. Dafür wolle er ihnen eine beträchtliche Summe aus dem allgemeinen Säckel zuweisen und ihnen außerdem ein Zeugnis ausstellen, daß sie wirklich imstande wären, Tote aufzuerwecken. Aus Gefälligkeit, heißt es, willigten die schlauen
35 Quacksalber in sein Anerbieten, nahmen Geld und Zeugnis und machten sich schnell aus dem Staube.

## WORTSCHATZ

**ab-reisen** (s) to depart
**das Amt, ¨er** office
**anderswo** elsewhere
**das Anerbieten, -** offer
**angesehen** respected, noted, prominent
**an-kündigen** to announce
**ansehnlich** considerable, substantial
**an-stellen** to employ; *cf.* **die Anstellung, -en** position
**an-vertrauen** to entrust
**der Arzt, ¨e** physician
**auferwecken** to revive
**auf-fordern** to request; *cf.* **die Aufforderung, -en** request
**die Aufregung, -en** excitement; **in — geraten*** (s) to get excited

**aus-schwatzen** to blurt out
**aus-stellen** to issue

**beerben** to inherit (someone's estate); *cf.* **der Erbe (-n), -n** heir
**behaftet mit** afflicted with
**bereit** ready
**besorgt** concerned
**die Bestimmtheit** assurance
**beträchtlich** considerable
**es bewenden lassen*** to let be
**bezeichnen** to designate
**der Bürgermeister, -** mayor

**enthalten*** to contain
**die Entschädigung, -en** compensation; *cf.* **der Schaden, -** damage
**sich erbieten*** to offer
**erhalten*** to obtain; to maintain
**sich erheben*** to arise, to rise
**erwecken** to revive
**ewig** eternal

**gar** even
**gebieten*** to command, to order
**der Gebrauch, ¨e** use
**die Gefälligkeit, -en** favor
**geraten*** (s) **in** (acc.) to get into
**der Geselle (-n), -n** fellow
**gönnen** to grant

**heilen** to cure
**der Heilkünstler, -** miracle healer

**die Hülle, -n** hull, (human) frame

**imstande** in a position

**die Krankheit, -en** disease
**kürzlich** recently

**mein Lebtag** in all (the days of) my life
**Louisdor** louis d'or (*a French coin first issued by Louis XIII in 1640*)

**nachdenklich** doubtful; pensive
**nahe-legen** to urge upon
**der Neffe (-n), -n** nephew

**die Ordnung** order

**die Pflicht, -en** duty

**der Quacksalber, -** quack

**der Säckel, -** purse; *cf.* **der Sack, ⸚e** sack, bag
**schrecklich** terrible
**selig** blessed, late
**der Standpunkt, -e** point of view, position
**der Staub** dust; **sich aus dem — machen** to make off for parts unknown

**verzeihen*** to forgive
**voran-gehen*** (s) to precede
**der Vorgänger, -** predecessor
**zum Vorschein kommen*** (s) to come to light

**wahren** to preserve
**willigen in** (acc.) to agree to; *cf.* **wollen*** to want
**der Wundermann, ⸚er** miracle man

**zerrütten** to shatter
**das Zeugnis, -se** testimonial
**zu-stellen** to forward
**zu-weisen*** to assign, to allot
**zweifeln** to doubt

## FRAGEN

1. Wo erschienen einmal zwei Ärzte?
2. Was kündigten sie an?
3. Warum wurden die Leute nachdenklich?
4. Wann geriet das Städtchen in Aufregung?
5. Von wem erhielten die zwei Freunde den ersten Brief?
6. Warum wollte der Patrizier seiner ersten Frau den ewigen Schlaf lassen?
7. Über wen machte sich der Neffe Sorgen?
8. Was hielt er für seine Pflicht?
9. Was befürchtete der Stadtarzt?
10. Wie überlegte der Bürgermeister sich die Sache?
11. Wozu entschloß er sich?
12. Was bot er den Fremden an?
13. Wem zu Gefallen versprachen die Fremden, von ihrem Unternehmen zu lassen?
14. Wohin begaben sie sich, nachdem sie Geld und Zeugnis eingesteckt hatten?

## STILÜBUNG

In each sentence, substitute the conjunction in parentheses.

1. Das Städtchen geriet in eine seltsame Aufregung, denn die Ärzte erklärten sich bereit, irgendeinen Toten zu erwecken (weil). 2. Sie waren nicht einmal imstande, Kranke zu heilen, aber sie wollten Tote wieder ins Leben rufen (jedoch). 3. Der Mann wollte seiner seligen Frau die Ruhe gönnen, weil es schrecklich wäre, wenn sie in ihre zerrüttete Hülle zurückkehren müßte (denn). 4. Wann mußten sie ihn wecken, während er bei ihnen wohnte (als)? 5. Weil er dem Onkel den Todesschlaf bewahren wollte, erbot er sich zu einer ansehnlichen Entschädigung (da). 6. Der Neffe war um den Onkel besorgt, aber der Stadtarzt fürchtete die Patienten (allein). 7. Die Wunderärzte ließen jedoch alles beim alten bewenden und reisten ab (obgleich). 8. Da sie einwilligten, gab ihnen der Bürgermeister eine beträchtliche Summe (damit).

## NACHERZÄHLUNG

Geben Sie den Inhalt obiger Anekdote mündlich kurz wieder und bedienen Sie sich dabei möglichst folgender Ausdrücke: anstellen, Kunde, Aufregung, zweifeln, leiden, enthalten, verzeihen, gebieten, vorangehen, Aufforderung.

## ÜBERTRAGUNG

1. Probably because they had not been able to obtain any other position, two young doctors once appeared in a small town and

announced that they were able to bring[1] the dead back to life.[2]

2. Of course, everyone laughed at the strangers at first.
3. But when they got ready to furnish proof of their art, the townspeople[3] gradually grew apprehensive.
4. And as the day drew near on which the doctors were intending to awaken the first dead, all [the] people became more and more excited.
5. Even those[4] among them who had kept their heads[4] no longer dared[5] voice their doubts.
6. On the day prior to the great miracle at the cemetery the two friends received a letter from one of the most respected men in[6] the community.
7. It read[7]: "I had a wife who was an angel, and my love for her knew no bounds.
8. But she was afflicted with all sorts of ailments and I tremble at the thought that you might rob her[8] [of] her eternal rest.
9. For heaven's sake spare her (with your art), and accept, please, the fifty louis d'or which I remit (to you) herewith."
10. That was the first letter.
11. A number of others of similar content followed that [one].
12. A nephew was terribly worried about an uncle whose estate[9] he had inherited.
13. "My dear uncle," he wrote, "felt horrible all his life whenever someone had awakened him.
14. To awaken him from his eternal slumber would certainly be unpardonable.

[1] *Use* rufen*. [2] *Use* wieder ins. [3] *Use* stiegen den Städtern allmählich Bedenken auf. [4] *Use* der Vernünftige (-n), -n. [5] *Use* wagen. [6] *Translate* of the. [7] *Use* darin hieß es. [8] *Use the dative.* [9] *Use* den er beerbt hatte.

15. I therefore consider it my duty to guard him against [any] such act of violence.
16. Meanwhile I am prepared to make handsome amends."[10]
17. Disconsolate widows called in person and begged the strangers not to do anything against God's will.
18. In even greater fear than the poor women were the physicians in the town.
19. They were afraid one of their dead patients might return and blurt out what he had learned beyond the grave.
20. The mayor, who had not been[11] in office [very] long and had many predecessors under the ground, reflected that it would be utterly impossible to maintain law and order in the town if the dead were to crop up again.
21. Hence, he dispatched a semi-official letter to the two miracle men in which he requested them to leave matters as they are[12] and depart at once.
22. In return he offered to pay them a large sum out of the public purse and to write[13] a testimonial for them [saying] that they actually were able to awaken the dead.
23. The clever strangers replied that they would do it as a favor to him.[14]
24. They took the money and the testimonial and made off for parts unknown.[15]

10 *Use* sich zu einer Entschädigung erbieten*. 11 *Use the imperfect tense.* 12 *Use* alles beim alten bewenden lassen*. 13 *Use* ausstellen. 14 *Use* ihm zu Gefallen. 15 *Use* nahmen ihren Weg ins Blaue.

# FORMS OF STRONG AND IRREGULAR VERBS

| *Infinitive* | *Present Indicative* | *Past Indicative* | *Past Participle* |
|---|---|---|---|
| befehlen | befiehlt | befahl | befohlen |
| beginnen | beginnt | begann | begonnen |
| beißen | beißt | biß | gebissen |
| bergen | birgt | barg | geborgen |
| bewegen | bewegt | bewog | bewogen |
| biegen | biegt | bog | gebogen |
| bieten | bietet | bot | geboten |
| binden | bindet | band | gebunden |
| bitten | bittet | bat | gebeten |
| bleiben | bleibt | blieb | geblieben (ist) |
| brechen | bricht | brach | gebrochen |
| brennen | brennt | brannte | gebrannt |
| bringen | bringt | brachte | gebracht |
| denken | denkt | dachte | gedacht |
| dringen | dringt | drang | gedrungen (ist) |
| dürfen | darf | durfte | gedurft |
| erschrecken | erschrickt | erschrak | erschrocken (ist) |
| erlöschen | erlischt | erlosch | erloschen (ist) |
| fahren | fährt | fuhr | gefahren (ist) |
| fallen | fällt | fiel | gefallen (ist) |
| fangen | fängt | fing | gefangen |
| finden | findet | fand | gefunden |

| *Infinitive* | *Present Indicative* | *Past Indicative* | *Past Participle* |
|---|---|---|---|
| fliegen | fliegt | flog | geflogen (ist) |
| fliehen | flieht | floh | geflohen (ist) |
| fließen | fließt | floß | geflossen (ist) |
| | | | |
| gebären | gebiert | gebar | geboren |
| geben | gibt | gab | gegeben |
| gehen | geht | ging | gegangen (ist) |
| gelingen | gelingt | gelang | gelungen (ist) |
| gelten | gilt | galt | gegolten |
| geschehen | geschieht | geschah | geschehen (ist) |
| gewinnen | gewinnt | gewann | gewonnen |
| gleiten | gleitet | glitt | geglitten (ist) |
| graben | gräbt | grub | gegraben |
| greifen | greift | griff | gegriffen |
| | | | |
| haben | hat | hatte | gehabt |
| halten | hält | hielt | gehalten |
| hängen | hängt | hing | gehangen |
| heben | hebt | hob | gehoben |
| heißen | heißt | hieß | geheißen |
| helfen | hilft | half | geholfen |
| | | | |
| kennen | kennt | kannte | gekannt |
| klingen | klingt | klang | geklungen |
| kommen | kommt | kam | gekommen (ist) |
| können | kann | konnte | gekonnt |
| kriechen | kriecht | kroch | gekrochen (ist) |
| | | | |
| laden | lädt | lud | geladen |
| lassen | läßt | ließ | gelassen |
| laufen | läuft | lief | gelaufen (ist) |
| leiden | leidet | litt | gelitten |
| leihen | leiht | lieh | geliehen |
| lesen | liest | las | gelesen |
| liegen | liegt | lag | gelegen |

| *Infinitive* | *Present Indicative* | *Past Indicative* | *Past Participle* |
|---|---|---|---|
| meiden | meidet | mied | gemieden |
| mißlingen | mißlingt | mißlang | mißlungen (ist) |
| mögen | mag | mochte | gemocht |
| müssen | muß | mußte | gemußt |
| nehmen | nimmt | nahm | genommen |
| nennen | nennt | nannte | genannt |
| raten | rät | riet | geraten |
| reißen | reißt | riß | gerissen |
| reiten | reitet | ritt | geritten (ist) |
| ringen | ringt | rang | gerungen |
| rufen | ruft | rief | gerufen |
| schaffen | schafft | schuf | geschaffen |
| scheiden | scheidet | schied | geschieden |
| scheinen | scheint | schien | geschienen |
| schelten | schilt | schalt | gescholten |
| scheren | schert | schor | geschoren |
| schlafen | schläft | schlief | geschlafen |
| schlagen | schlägt | schlug | geschlagen |
| schließen | schließt | schloß | geschlossen |
| schlingen | schlingt | schlang | geschlungen |
| schneiden | schneidet | schnitt | geschnitten |
| schreiben | schreibt | schrieb | geschrieben |
| schreiten | schreitet | schritt | geschritten (ist) |
| schwimmen | schwimmt | schwamm | geschwommen |
| schwinden | schwindet | schwand | geschwunden (ist) |
| schwingen | schwingt | schwang | geschwungen |
| schwören | schwört | schwor | geschworen |
| sehen | sieht | sah | gesehen |
| sein | ist | war | gewesen (ist) |
| senden | sendet | sandte | gesandt |
| singen | singt | sang | gesungen |
| sinken | sinkt | sank | gesunken (ist) |

| *Infinitive* | *Present Indicative* | *Past Indivative* | *Past Participle* |
|---|---|---|---|
| sinnen | sinnt | sann | gesonnen |
| sitzen | sitzt | saß | gesessen |
| sollen | soll | sollte | gesollt |
| sprechen | spricht | sprach | gesprochen |
| springen | springt | sprang | gesprungen (ist) |
| stechen | sticht | stach | gestochen |
| stehen | steht | stand | gestanden |
| steigen | steigt | stieg | gestiegen (ist) |
| stoßen | stößt | stieß | gestoßen |
| streiten | streitet | stritt | gestritten |
| tragen | trägt | trug | getragen |
| treffen | trifft | traf | getroffen |
| treiben | treibt | trieb | getrieben |
| treten | tritt | trat | getreten (ist) |
| trinken | trinkt | trank | getrunken |
| tun | tut | tat | getan |
| vergessen | vergißt | vergaß | vergessen |
| verlieren | verliert | verlor | verloren |
| wachsen | wächst | wuchs | gewachsen (ist) |
| waschen | wäscht | wusch | gewaschen |
| weichen | weicht | wich | gewichen (ist) |
| weisen | weist | wies | gewiesen |
| wenden | wendet | wandte | gewandt |
| werben | wirbt | warb | geworben |
| werden | wird | wurde | geworden (ist) |
| werfen | wirft | warf | geworfen |
| winden | windet | wand | gewunden |
| wissen | weiß | wußte | gewußt |
| wollen | will | wollte | gewollt |
| ziehen | zieht | zog | gezogen |
| zwingen | zwingt | zwang | gezwungen |

# VOCABULARY

## A

**a, an** ein

**abandon** auf-geben*; — **oneself to** sich schicken in (acc.)

**ability** die Fähigkeit, -en

**able: be —** können*, vermögen*, imstande sein* (s)

**about** (prep.) über, um (acc.), von (dat.); — (adv.) etwa

**above** (prep.) über (dat. *or* acc.)

**abroad** im Ausland

**accelerate** beschleunigen

**accelerator pedal** der Gasfußhebel, -

**accept** auf-nehmen*, empfangen*

**access** der Zutritt

**acclaim** der Beifall; **wide —** allgemeiner Beifall

**accommodate oneself to** sich bequemen zu (dat.)

**according to** (preceding object) nach (dat.); — (following object) nach, gemäß (dat.); — **it** danach

**accursed** fluchbeladen

**accuse** an-klagen

**accustom: become —ed to** sich gewöhnen an (acc.)

**acquire** sich (dat.) erwerben* *or* aneignen

**action** die Handlung, -en

**actual(ly)** eigentlich, wirklich; auch

**add** hinzu-fügen

**addition: in —** außerdem; **in — to** nebst (dat.), außer (dat.)

**adjoin** an-liegen*

**admiration** die Bewunderung

**admit** auf-nehmen*, vor-lassen*

**adopt** (an Kindes Statt) an-nehmen*

**adorn** schmücken, verzieren

**adornment** die Zierde, -n

**advantage** der Vorteil, -e; **—s and disadvantages** Vorteile und Nachteile

**advertisement** die Reklạme, -n

**advice** das Anraten

**advise** raten* (dat. of person)

**aesthetic** ästhẹtisch; **—s** die Ästhẹtik

**afflict** behaften

**afraid: be —** sich fürchten

**Africa** (das) Afrika; **—n** (adj.) afrikạnisch

**after** (prep.) nach (dat.); — (conj.) nachdem

**afternoon** der Nachmittag, -e; **in the —** nachmittags

**again** wieder

**against** gegen (acc.)
**age** das Zeitalter; **of —** alt; **at the — of** im Alter von (dat.)
**aged** greis
**ago: years —** vor Jahren
**agree** (= **consent)** ein-willigen; **—d** einig
**agriculture** der Ackerbau
**aid** die Hilfe, -n
**ailment** das Leiden, -
**air** die Luft, ⸚e
**airplane** das Flugzeug, -e
**airship** das Luftschiff, -e
**alchemist** der Alchimist, -en
**alight** sich setzen
**all** (= **whole)** ganz; **— told** insgesamt
**alliance** das Bündnis, -se
**allot** bestimmen
**almost** fast
**alone** allein
**along** an (dat.); längs (gen. *or* dat.)
**Alps** die Alpen
**already** schon
**also** auch
**altar** der Altar, ⸚e
**although** obgleich, obwohl, obschon
**always** immer
**amaze** verblüffen
**amazement** die Verwunderung; das Erstaunen; **— over** Verwunderung über (acc.); Erstaunen ob (gen.)
**amber** der Bernstein
**America** (das) Amerika
**among** unter (dat. *or* acc.), bei (dat.)
**amount to** sich belaufen* auf (acc.)
**amplify** verstärken
**ancestor** der Ahn, -en; der Vorfahr (-en), -en
**ancient** uralt, antik, alt
**and** und
**anecdote** die Anekdote, -n
**angel** der Engel, -
**anger** der Zorn
**Anglo-Saxon** angelsächsisch
**animal** das Tier, -e
**announce** an-kündigen
**announcer** der Ansager, -
**annual** jährlich
**another** ein anderer
**answer** antworten (dat.); beantworten
**antiquity** das Altertum
**any** ein; **not —** kein
**anyone who** wer
**anything** etwas; **not —** nichts
**apartment** die Wohnung, -en
**apothecary's assistant** der Apothekergehilfe (-n), -n
**apparatus** das Gerät, -e
**apparent: be —** hervor-treten* (s), sich heraus-stellen
**appear** scheinen*, erscheinen* (s), sich zeigen
**apple tree** der Apfelbaum, ⸚e
**apply to** sich beziehen* auf (acc.)
**appoint** bestimmen
**appreciation** das Verständnis; **— of** Verständnis für (acc.)
**approach** sich nähern (dat.)
**approval: on —** zur Ansicht

**approximately** ungefähr
**Arab** der Araber, -
**ardent** leidenschaftlich
**area** die Bodenfläche, -n; (= **space**) der Raum; **populated** — die geschlossene Ortschaft
**argument** die Ausführung, -en
**arise** sich erheben*
**arm** der Arm, -e
**armed** bewaffnet
**armlet** der Armring, -e
**army** das (Kriegs)heer, -e
**around** um (acc.)
**arouse** erwecken
**arrive** an-kommen* (s), ein-treffen* (s), an-langen (s)
**art** die Kunst, ⸚e; **work of** — das Kunststück, -e; das Kunstwerk, -e
**article** der Gegenstand, ⸚e
**artist** der Künstler, -
**as** als, wie, so; — (conj.) (causal) da, (temp.) also, indem, wie; — **far** — bis
**ascend** auf-steigen* (s)
**ascendance** die Erstarkung
**ashes: reduce to** — ein-äschern
**Asia** (das) Asien; — **Minor** (das) Kleinasien
**aside** beiseite
**ask** fragen; — (=**request**) bitten*; — **for** bitten um (acc.)
**asleep: fall** — ein-schlafen* (s)
**aspire to** an-streben
**assemble** sammeln; — (intrans.) sich versammeln
**assert oneself** sich durch-ringen*
**assume** an-nehmen*; — (= **take over**) übernehmen*
**assure** versichern (dat. *or* acc.).
**astonished** erstaunt
**astounded** erstaunt
**at** an, auf (dat. *or* acc.), bei, in, zu (dat.)
**attach** sich schließen* an (acc.)
**attack** an-greifen*
**attempt** der Versuch, -e
**attention** die Aufmerksamkeit; **attract** — Aufsehen erregen; **attract — to** die Aufmerksamkeit lenken auf (acc.); **call — to** aufmerksam machen auf (acc.)
**attentive** aufmerksam
**Attila** (der) Etzel (*leader of the Huns in their invasion of Europe in the first half of the fifth century*)
**attract** an-ziehen*; — **attention** Aufsehen erregen; die Aufmerksamkeit lenken auf (acc.)
**Augustinian Order** der Augustinerorden
**Austria** (das) Österreich
**author** der Verfasser, -
**authority** die Behörde, -n
**automobile** das Automobil, -e, der Kraftwagen, -
**auto speedway** die Autobahn, -en
**auxiliary (apparatus)** der Nebenapparat, -e
**avenge** rächen
**avenue** die Straße, -n, der Weg, -e
**avoid** vermeiden*
**awaken** (trans.) erwecken, auferwecken; — (intrans.) erwachen (s)

**awakening** das Aufwachen

**award** zu-erkennen*; **be —ed the degree of doctor** zum Doktor promovieren

**away** entfernt

B

**back** zurück, wieder

**background** die Herkunft

**bad** schlecht, schlimm

**bag** der Sack, ¨e

**bake** backen*

**bald** kahl

**baldheaded** kahlköpfig

**ball** der Ball, ¨e

**Baltic Sea** die Ostsee

**band of soldiers** die Soldạtenbande, -n

**barber** der Barbier, -e

**barter** der Tausch; **to —** vertauschen

**basic** grundsätzlich

**basis** die Basis, Basen

**basket** der Korb, ¨e

**Basle** (das) Basel

**bathe** baden

**battle** die Schlacht, -en, der Kampf, ¨e

**Bavaria** (das) Bayern; **—n** bayrisch

**be** sein* (s); — (pass. aux.) werden* (s); **there is (are)** es ist (sind), es gibt; **I am to** ich soll

**beam** aus-strahlen

**bear** gebären*

**beast** das Vieh

**beautiful** schön

**beauty** die Schönheit, -en

**because** weil, da; **—of** wegen (gen.)

**become** werden* (s); **— clear** *or* **apparent** sich heraus-stellen

**bed** das Bett, -en

**before** (prep.) vor (dat. *or* acc.); — (conj.) ehe, bevor; — (adv.) früher

**beg** bitten*

**begin** beginnen*, an-fangen*

**beginner** der Anfänger, -

**beginning** der Anfang, ¨e; **in the —** zu Anfang

**behold** schauen; **—!** siehe!

**being: come into—** zustande-kommen*(s)

**belief** der Glaube (-ns), -n

**believe** glauben (dat. of pers.); **— in** glauben an (acc.)

**belong** gehören

**beloved** beliebt

**bend down** sich nieder-beugen

**beneath** (prep.) unter (dat. *or* acc.)

**benefactor** der Wohltäter, -

**bequeath** vermachen

**beseech** ersuchen

**beside** (prep.) neben (dat. *or* acc.); **— oneself** außer sich

**best** (adj.) best-; — (adv.) am besten

**betake oneself** sich begeben*

**between** zwischen (dat. *or* acc.); **in—** dazwischen

**beyond** jenseits

**Bible** die Bibel, -n

**biblical exegesis** die Bibelerklärung

**bid** gebieten*

**billion** die Milliạrde, -n

**bind** binden*
**birch tree** der Birkenbaum, ⸚e
**birth** die Geburt, -en; **give — to** gebären*
**birthday** der Geburtstag, -e
**bite** beißen*
**bitter** bitter, heftig
**black** schwarz
**Black Forest** der Schwarzwald
**Black Sea** das Schwarze Meer
**blast** sprengen
**bless** segnen
**blind** blind
**block** versperren, verlegen
**blonde** blond
**blood** das Blut
**blue** blau
**blurt out** aus-schwatzen
**boar** der Eber, -; **shape of a —** die Eberform, -en
**board** besteigen*
**body** der Leib, -er; **— of a car** der Aufbau, -ten
**border** die Grenze, -n; **to —** grenzen an (acc.)
**border state** der Randstaat, -en
**both** beide; (as in Lesson 19) beides
**bottom** der Grund, ⸚e
**boundary** die Grenze, -n
**bounds** die Grenzen
**boy** der Knabe(-n), -n
**brake** die Bremse, -n; **four-wheel —** die Vierradbremse, -n; **— pedal** die Bremse, -n
**branch** der Ast, ⸚e, der Zweig, -e; **— of a tree** der Baumzweig, -e
**break** der Bruch, ⸚e; **to —** brechen*, zerbrechen*; **— off** ab-brechen*
**bride** die Braut, ⸚e; die junge Frau, -en
**brief** kurz
**bring** bringen*; **— about** herbei-führen; **— along** mitbringen*; **— back** wieder-bringen*
**broad (=general)** allgemein; **— (=varied)** allseitig
**bronze** die Bronze; **— age** die Bronzezeit, -en
**brother** der Bruder, ⸚ **—-in-law** der Schwager, ⸚
**brush** der Pinsel, -
**Brussels** (das) Brüssel
**build** bauen, erbauen, errichten; aufbauen
**building** das Bauen; das Gebäude, -; **— permit** die Baubewilligung, -en
**Bulgaria** (das) Bulgarien
**bullet** die Kugel, -n
**bundle** das Bündel, -
**Burgundy** (das) Burgund
**burn** brennen*; **— down** nieder-brennen* (s); **— one's way into** sich brennen* in (acc.)
**bury** begraben*
**bush** der Busch, ⸚e
**business** das Geschäft, -e; **— activity** die Handelstätigkeit, -en; **— term** der kaufmännische Fachausdruck
**but** (conj.) aber, sondern; **—** (adv.) doch, jedoch, dennoch; **— (= only)** nur
**button** der Knopf, ⸚e

**buy** kaufen
**buying** der Kauf, ⸚e
**by** an, bei, von, mit (dat.); — an (acc.) — **means of** durch (acc.); — **and large** im großen und ganzen

C

**call** rufen*; — (= **name**) nennen*; — (= **invite to teach**) berufen*; — (= **summon**) auf-fordern; — **back** zurück-rufen*; — **in** zu sich rufen*; — **on** (= **visit**) auf-suchen, vor-sprechen* bei (dat.)
**calling** der Beruf, -e
**can** können*
**canton** der Kanton, -e
**canvas** die Leinwand
**cap** das Käppchen, -
**capital** die Hauptstadt, ⸚e
**capture** gefangen-nehmen*
**car** der Wagen, -
**carburetor** der Vergaser, -
**care** die Obhut
**carpet** der Teppich, -e
**carriage** der Wagen, -
**carry** tragen*
**cart** der Karren, -
**case** die Sache; **in the — of** bei
**cash** bar; — **price** der Barkauf, ⸚e; **buy for —** gegen Kasse kaufen
**castle** das Schloß, Schlösser
**cat** die Katze, -n
**catch sight of** zu Gesicht be-kommen*
**cause** herbei-führen
**cave** die Höhle, -n
**celebrate** feiern; **widely —d** weit-berühmt
**cell** die Zelle, -n
**Celtic** keltisch
**cemetery** der Kirchhof, ⸚e
**center** die Mitte, -n
**century** das Jahrhundert, -e
**certain (ly)** gewiß, bestimmt
**chair** der Stuhl, ⸚e; **easy —** der Lehnstuhl, ⸚e
**challenge** heraus-fordern
**chance** der Zufall, ⸚e
**change** die Veränderung, -en; **to —** umwandeln, verwandeln; — (in-trans.) sich verwandeln; — **back** zurück-verwandeln
**character** die Figur, -en
**characteristic** bezeichnend, be-sonder
**charge** auf die Rechnung setzen
**Charlemagne** Karl der Große (*742?-814, king of the Franks and emperor of the Holy Roman Empire*)
**charm** die Anmut
**charred** angekohlt
**chassis** das Fahrgestell, -e
**child** das Kind, -er
**childish** kindisch
**children's children** die Kindeskinder, Enkel
**China** (das) China
**chocolate** die Schokolade, -n
**choice: make a —** wählen
**choose** wählen
**Christ** (der) Christus (Christi)

**Christmas** die Weihnachten; — **Eve** der Weihnachtsabend, -e; — **season** (*or* **time**) die Weihnachtszeit, -en; — **tree** der Weihnachtsbaum, ⸚e
**chronicle** die Chronik, -en
**church** die Kirche, -n; — **father** der Kirchenvater, ⸚
**circle** kreisen um (acc.)
**city** die Stadt, ⸚e
**civilization** die Zivilisation (*-tsjon*), -en, die Kultur, -en
**claim** behaupten
**classical** klassisch
**clay** die Tonerde, -n
**clever** klug, schlau
**cliff** der Fels (-en), -en
**close (= narrow)** eng; **—st ( nearest)** am nächsten
**cloth** das Tuch, ⸚er
**clothes** die Kleidung, die Kleider
**clutch** die Kuppelung, -en; **engage the** — ein-kuppeln; **disengage the** — aus-kuppeln
**coach** der Wagen, -; **by** — zu Wagen
**coal** die Kohle, -n
**coarse** rauh
**coat** der Mantel, ⸚
**cobbler** der Schuhmacher, -
**cocoa** der Kakao
**coffee** der Kaffee
**cogitation** die Überlegung, -en
**colleague** der Berufsgefährte (-n), -n
**collect** sammeln
**collection of poems** die Gedichtsammlung, -en
**Cologne** (das) Köln
**color** die Farbe, -n
**combat** der Kampf, ⸚e; **personal** — der Zweikampf, ⸚e
**combine** einen, vereinen
**come** kommen* (s), gelangen (s); — **along** daherkommen* (s); — **upon** stoßen* (s) auf (acc.); **make — true** verwirklichen; — **into being** zustande kommen* (s)
**comfortable** gemütlich
**comic** komisch
**command** befehlen* (dat.); **as —ed** auf Kommando
**commemorate** begehen*
**commerce** der Handel
**commercial** kaufmännisch; — **route** die Handelsstraße, -n
**committee** der Ausschuß, Ausschüsse
**common** allgemein, gemeinschaftlich
**commonplace: a** — etwas Alltägliches
**communication: means of** — die Nachrichtenvermittlung, -en
**community** die Gemeinde, -n, die Gemeinschaft
**company** die Gesellschaft, -en
**compel** zwingen*; **to be compelled to** müssen*
**competition** der Wettbewerb
**complain** sich beklagen, Beschwerde führen; — **about** sich beklagen über (acc.)
**complete** vollenden
**completely** ganz, gänzlich
**completion** der Abschluß, Abschlüsse
**complex** verwickelt

**complicated** kompliziert
**compose** verfassen
**comprehend** begreifen*
**compulsory** pflichtmäßig
**conceal** verdecken
**concede one's defeat** sich geschlagen geben*
**conceivable** erdenklich, denkbar
**confederation** der Bundesstaat, -en; die Eidgenossenschaft, -en
**confess** gestehen*
**connect** verbinden*; **be —ed** zusammen-hängen*
**connection** der Zusammenhang, ⸚e
**conquer** erobern
**conqueror** der Eroberer, -
**conscience** das Gewissen
**conscious** bewußt; **be — of the fact** sich der Sache bewußt sein* (s)
**consciousness: to regain —** wieder zu sich kommen* (s)
**consider** halten* für (acc.), an-sehen*, betrachten
**constancy** die Beständigkeit
**consume** verschlingen*, verzehren
**consummation** die Erfüllung
**consumption** der Gebrauch, der Verbrauch
**contain** enthalten*
**contemplative** still
**content** der Inhalt, -e; **to — oneself** sich begnügen, sich zufrieden geben*
**contest** der Streit, -e, der Wettbewerb, -e
**continue** (trans.) fort-setzen; — (intrans.) fort-fahren* (s); **— to live** fort-leben; **— wearing** weitertragen*
**contrary: on the —** im Gegenteil
**contribute** bei-tragen*
**convenience** die Bequemlichkeit, -en
**conversation** die Unterhaltung, -en
**convert** um-wandeln
**convince** überzeugen; **become —d** zu der Überzeugung gelangen (s)
**cooky** der Kuchen, -
**copper** das Kupfer
**cordial** freundlich
**corner** die Ecke, -n
**correspond to** entsprechen* (dat.)
**cost(s)** die Kosten
**costly** köstlich
**cotton** die Baumwolle; **— goods** die Baumwollware, -n
**count** zählen
**country** das Land, -e (*or* ⸚er), der Staat, -en; — (**= native land**) das Vaterland
**couple** das Paar, -e
**course** der Lauf, ⸚e, der Verlauf; **of —** natürlich
**court** der Hof, ⸚e; — **(= retinue)** der Hofstaat; — **(of law)** das Gericht
**courteous** höflich
**courtier** der Hofmann, Hofleute
**courtyard** der Hof, ⸚e
**cousin (male)** der Vetter, -; — **(female)** die Kusine, -n
**cover** bedecken; zurück-legen
**Cracow** (das) Krakau
**crawl** kriechen* (s)

**create** hervor-bringen*, schaffen*
**creature: little —** das Tierchen, -
**credit** der Kredịt; **buy on —** auf Kredit kaufen
**Cretan** der Kreter, -
**crop up** zum Vorschein kommen* (s)
**cross** das Kreuz, -e; **to —** überqueren
**crusade** der Kreuzzug, ⸚e
**culture** die Kultụr, -en
**current** der Strom, ⸚e
**curse** der Fluch, ⸚e
**curtain** der Vorhang, ⸚e
**curve** die Kurve, -n
**custom** die Sitte, -n, der Brauch, ⸚e; **as was the —** der Sitte gemäß
**cutting** scharf
**Czechoslovakia** die Tschechoslovakei

D

**dance** tanzen; **— around** umhertanzen (s), herum-tanzen (s)
**danger** die Gefahr, -en
**Danube** die Donau
**dare** wagen
**daring** kühn
**daughter** die Tochter, ⸚
**day** der Tag, -e; **every —** täglich; **some —** einst; **— by —** Tag für Tag; **to this —** noch heute; **in the —s** zur Zeit
**dead** tot
**dear** lieb
**death** der Tod, -e
**December** der Dezẹmber
**deception** der Betrug
**deceptive** täuschend
**decide** beschließen*, sich entschließen*
**decision** die Entscheidung, -en
**declare** erklären
**decline** der Niedergang
**decorate** zieren
**deed** die Tat, -en
**deep** tief; **—ly** schwer
**defeat** besiegen, überwinden*
**defense** die Verteidigung
**defendant** der Angeklagte (adj. decl.)
**defiant** trotzig
**defray** bestreiten*
**delicate** fein
**delight** die Freude, -n; **to —** entzücken; **—ed** sehr zufrieden, sehr entzückt
**demand** das Verlangen; **— for** die Nachfrage nach (dat.); **in —** begehrt
**depart** ab-reisen (s)
**dependent upon** abhängig von (dat.)
**depressed** niedergeschlagen
**derive from** ab-gewinnen* (dat.)
**design** die Zeichnung, -en
**desire** die Lust, ⸚e; **— to travel** die Reiselust; **to — to** wollen*
**despair** die Verzweiflung
**desperate** verzweifelt
**despite** trotz (gen. and dat.)
**destined** ausersehen
**destiny** die Bestimmung
**destroy** zu Grunde richten
**destruction** der Untergang
**develop** sich entwickeln

**development** die Entwicklung
**devote (oneself) to** ob-liegen* (dat.), sich widmen (dat.)
**devotion** die Hingabe
**devour** verzehren, verschlingen*
**dexterity** die Kunstfertigkeit
**dial** wählen
**dialogue in prose** der Prosadialog, -e
**die** sterben* (s)
**different** verschieden
**direction** die Richtung, -en
**disappointment** die Enttäuschung, -en
**disclose** entdecken
**discomfort** die Unannehmlichkeit, -en
**disconsolate** untröstlich
**discover** entdecken; **—y** die Entdeckung, -en
**dish** die Schüssel, -n
**disk** die Scheibe, -n
**dislodge** los-lösen
**dispatch** entsenden*
**disperse** verscheuchen
**dispute** der Streit, -e
**dissolve** auf-lösen
**distance** die Strecke, -n
**distant** fern, entfernt
**distinguish** unterscheiden*; **—ed** vornehm
**distrustful** mißtrauisch
**divest** berauben
**divide** teilen, entzweien
**divulge** entdecken
**do** tun*
**doctor** der Arzt, ⸚e
**dogmatics** die Dogmatik
**dollar** der Dollar, - (*or* -s)
**dominant position** die Vormachtstellung, -en
**done** geschehen; **be —** geschehen* (s)
**doom** der Tod, -e; der Untergang
**door** die Tür, -en
**dot of light** der Lichtpunkt, -e
**doubt** der Zweifel, -; **to —** zweifeln an (dat.)
**downstream** stromabwärts
**dragon** der Drache (-n), -n
**dragoon** der Dragoner, -
**drama** das Drama, Dramen
**dramatics** die Schauspielkunst
**dramatis personae** die dramatis personae, die Spieler
**dramatist** der Dramatiker, -
**draw** ziehen*, hin-ziehen* (s); **— (= stretch)** spannen; **— aside** beiseite-reißen*; **— back** zurückziehen*; **— near** heran-nahen (s); heran-rücken (s), näher-rücken (s), **— up** auf-stellen; **— plans** Pläne an-fertigen
**dream** der Traum, ⸚e: **to —** träumen
**drink** trinken*
**drive** (intrans.) fahren* (s); (trans.) an-treiben*; **— shaft** die Treibwelle, -n, die Triebwelle, -n
**driver** der (Kraftwagen)führer, -; **—'s seat** der Führersitz, -e
**driving** das Autofahren
**drop** der Tropfen, -
**drown** ertrinken* (s)
**duke** der Herzog, ⸚e
**dumbfounded** starr

**dupe** übertölpeln
**during** während (gen.), in (dat.)
**duty** die Pflicht, -en
**dwell** weilen, hausen
**dwarf** der Zwerg, -e

E

**each** (ein) jeder; **— one** (ein) jeder; **— other** sich, einander
**eagle** der Adler, -
**early** früh; erst; alt
**earnestness** der Ernst
**earpiece** die Hörmuschel, -n
**earth** die Erde, -n; die Welt, -en
**East** der Osten
**East Indies** (das) Ostindien
**Easter(tide)** das Ostern
**easy** leicht; **— chair** der Lehnstuhl, ⸚e
**eat** verzehren
**educate** erziehen*
**education** die Erziehung, die Bildung
**effect** die Wirkung, -en; **to —** bewirken
**egg** das Ei, -er
**Egypt** (das) Ägypten
**elated** erfreut, entzückt
**elder (ly)** älter
**elector** der Kurfürst (-en), -en
**electrical** elektrisch; **— wave** die Stromwelle, -n
**eleven** elf
**elicit** erregen
**eliminate** aus-schalten
**elsewhere** anderwärts
**emerge** hervor-treten* (s)
**emigrate** aus-wandern (s)
**eminent** hervorragend
**emperor** der Kaiser, -
**empty** aus-leeren, aus-schütten; **— (of rivers)** münden (s)
**enable** ermöglichen
**end** das Ende, -n
**ending** der Schluß, Schlüsse
**endurance** die Ausdauer
**engage in** betreiben*
**English** englisch; **—man** der Engländer,-
**engrossed: become —** sich vertiefen
**enhance** verstärken
**enjoy** sich erfreuen (gen.)
**enmity** die Feindschaft, -en
**ensue** folgen (s) (dat.)
**entail** verbunden sein* (s) mit (dat.)
**enter** (trans.) betreten*; **— (= record)** ein-tragen*; **— the university** die Universität beziehen*, **— upon** ein-schlagen*
**entertainment** die Unterhaltung
**entire** gesamt
**environs** die Umgebung, -en
**epic** episch
**equal (to)** gleich
**equip** versehen*, aus-rüsten
**erect** errichten
**escape** entfliehen* (s), entgehen* (s), entkommen* (s)
**especially** besonders
**establish** sicher-stellen
**Esthonia** (das) Estland
**eternal** ewig
**ethical** ethisch

**ethnic** ethnisch
**Europe** (das) Europa
**European** europäisch
**even** auch, noch, gar, sogar; — **more** um so mehr; **not** — nicht einmal
**evening** der Abend, -e
**event** das Ereignis, -se
**ever** je
**every** jeder; —**one** jeder, alles; —**one in Brussels** ganz Brüssel; —**where** allerorts, überall
**everyday speech** die Umgangssprache
**evict** auf die Straße werfen*, auf die Straße setzen
**evil** bös; **(the)** — das Übel
**evolution** das Werden
**evolve** sich ab-leiten
**examination** die Prüfung, -en
**example** das Beispiel, -e; **for** — zum Beispiel
**exception** die Ausnahme, -n
**exchange** der Austausch; — **of wares** der Warenaustausch; **article of** — der Austauschgegenstand, ⸚e; **to** — aus-tauschen
**exclaim** rufen*, aus-rufen*
**exist** bestehen*; **it** —**s** es gibt
**expansion** der Aufschwung, ⸚e
**expensive** teuer
**expiate** sühnen
**expiration** der Ablauf
**explain** erklären
**export** aus-führen
**expression** der Ausdruck, ⸚e
**extend (= proceed)** verlaufen* (s), sich erstrecken; — **a hand** die Hand reichen; — **back** zurück-reichen
**extinct** erloschen; **become** — erlöschen* (s)
**extraordinary** außerordentlich
**eye** das Auge, -n

F

**face** das Antlitz, -e; **to** — in den Weg treten* (s); **stand** — **to** — sich (dat.) gegenüber-stehen*
**facilitate** vermitteln
**fact** die Tatsache, -n **as a matter of** — in der Tat; —**s** der Sachverhalt
**faith** der Glaube (-ns), -n, das Bekenntnis, -se; **have** — **in** glauben an (acc.)
**faithful** getreu
**fall** fallen* (s)
**fame** der Ruhm; —**d (=famous)** berühmt
**familiar** vertraulich
**family** die Familie (*familje*), -n
**fan** der Windflügel, -
**fancier** der Liebhaber, -
**far** weit, viel; **not** — unweit
**fashion** die Art, -en
**fast** rasch, schnell
**fasten** fest-machen
**fate** das Schicksal, -e
**father** der Vater, ⸚
**favorite game** das Lieblingsspiel, -e
**fear** die Angst; **to** — fürchten
**feat** die Tat, -en
**feel** meinen; **I** — **horrible** mir ist es schrecklich

**fellow man** der Mitmensch (-en), -en
**fellow student** der Mitschüler, -; der Studiengenosse (-n), -n
**fender** der Kotflügel, -
**fertile** fruchtbar
**fertility** die Fruchtbarkeit
**festival** das Fest, -e; **— of the winter solstice** das Wintersonnwendfest, -e
**festively** festlich
**fetch** holen, herbei-holen
**few** wenig; **a —** ein paar
**field** das Feld, -er
**fiendish** teuflisch
**fierce** wild
**fifteen** fünfzehn; **—th** fünfzehnt
**fifty** fünfzig
**figure** das Bild, -er
**fill** füllen
**final** (**=last**) letzt, endlich, endgültig; **—ly** endlich, schließlich
**find** finden*, auf-finden*, vor-finden*; **—ing** die Auffindung
**fine** schön
**finger** der Finger, -
**finished** (schon) fertig
**fire** das Feuer, -
**firm** fest
**first** (adj.) erst; **—** (adv.) zuerst, vormals, zunächst; **at —** zuerst, anfangs
**fish** der Fisch, -e
**fit** versehen*
**five** fünf
**flag** die Fahne, -n
**flame** die Flamme, -n
**flat tire** die Reifenpanne, -n
**flee** fliehen* (s)
**fleet** die Flotte, -n
**fleeting** flüchtig
**flint** der Feuerstein, -e
**flock** herbei-strömen (s)
**floor** der Boden, ¨
**flourish** blühen
**flow** fließen* (s
**fly** fliegen* (s) )
**folk** das Volk, ¨er; **— poet** der Volksdichter, -
**follow** folgen (s) (dat.), nach-folgen (s) (dat.); **— (=take place)** erfolgen (s)
**food** das Gericht, -e
**fool** der Narr (-en), -en; **make a — of** zum Narren halten*
**foot** der Fuß, ¨e; **on —** zu Fuß; **—soldier** der Streiter zu Fuß
**for** (conj.) denn; **—** (prep.) für (acc.)
**force** die Gewalt; **by —** durch Gewalt; **to — upon** auf-zwingen* (dat.)
**forebear** der Vorfahr (-en), -en
**forest** der Wald, ¨er
**forfeit** verlieren*
**forge** schmieden
**form** die Form, -en, die Art, -en; **— of entertainment** die Unterhaltung; **to —** bilden, stiften
**former** vormalig; **the —** jener
**fortress** die Festung, -en, die Befestigung, -en
**fortune (= happiness)** das Glück, das Vermögen
**forty** vierzig
**foster father** der Pflegevater, ¨

**found** gründen; **—er** der Begründer
**four** vier; **—th** viert
**fourteen** vierzehn; **—th** vierzehnt
**fox** der Fuchs, ¨e
**fragmentary** lückenhaft
**frame** der Rahmen, -
**France** (das) Frankreich
**Frederick** Friedrich
**free** frei
**freedom** die Freiheit; **sense of —** der Freiheitsgedanke (-ns), -n
**French** franzọ̈sisch
**freshness** die Frische
**friend** der Freund, -e
**from** von, aus (dat.)
**front** die Front, -en; **in — of** vor; **— wheel** das Vorderrad, ¨er
**fulfill** erfüllen
**full** voll; **— of** voller; **—y** völlig
**functioning** das Funktionieren (*-tsjoniren*)
**furnish** liefern
**furs** die Pelzwaren
**fury** die Wut

G

**game** das Spiel, -e
**gas(oline)** das Benzịn, -e; **— motor** der Gasmotor, -en; **— station** die Tankstelle, -n
**gather** sammeln; **— together** zusammen-raffen; **— up** zusammen-tragen*
**gay** bunt
**gearshift** der Schalthebel, -
**general** der Feldherr (-n), -en; **— (= common)** allgemein; **in —** *or* **generally** im allgemeinen, meist
**generation** das Geschlecht, -er
**gentle (= mild)** sanft
**genuine** echt, richtig; **—ness** die Echtheit
**German** deutsch; **— person** der Deutsche (adj. decl.)
**Germani** die Germạnen
**Germanic** germạnisch
**Germany** (das) Deutschland
**get (come** *or* **go)** kommen* (s); **— (= receive)** bekommen*; **— along** aus-kommen* (s)
**gift** das Geschenk, -e; **— (= ability)** die Anlage, -n
**girl** das Mädchen, -
**give** geben*, schenken; **— birth to** gebären*, das Leben schenken
**glance off** ab-gleiten* (s) von (dat.)
**gleam** erglänzen
**glory** die Herrlichkeit, -en
**gnat** die Mücke, -n; **swarm of —s** der Mückenschwarm, ¨e
**go about** herum-gehen* (s)
**goal** das Ziel, -e
**god** der Gott, ¨er
**gold** das Gold; **—en** golden
**good** gut
**goods in international trade** die Welthandelsgüter
**government operated** staatlich betrieben
**governor** der Gouverneur (*guvernọ̈r*)
**gracefully** zierlich
**gradually** allmählich
**grain** das Getreide, das Korn

**grave** das Grab, ⸚er
**gray** grau
**great** groß
**greed** die Habgier
**Greek** griechisch; — **person** der Grieche (adj. decl.); — **language** das Griechische (adj. decl.)
**green** grün
**greet** grüßen
**grief** der Schmerz, -en
**ground** der Boden, ⸚
**group** die Schar, -en
**grouping** die Gliederung, -en
**grow** wachsen* (s); — **up** heranwachsen* (s)
**growth** die Entwicklung, -en
**guard against** schützen vor (dat.)
**guess** erraten*
**guide** führen, lenken
**guiding** leitend
**guilt** die Schuld; **sense of** — das Schuldgefühl

H

**hair** das Haar, -e
**hale into court** vor Gericht laden*
**half** die Hälfte, -n
**hallow** weihen
**hamlet** das Örtchen, -
**hand** die Hand, ⸚e; **on the other** — dagegen; —**full** die Handvoll; — **brake** die Handbremse, -n
**handsome** schön
**handwritten** eigenhändig; — **volume** der Manuskriptband, ⸚e
**Hansa** die Hanse
**Hanseatic town** die Hansastadt, ⸚e
**happen** sich zu-tragen*
**happy** glücklich, heiter
**hard** hart, fest
**hardly** kaum
**harvest** die Ernte, -n
**haste: in great** — eiligst
**hasten** eilen (s)
**hastily** eilends
**hated** verhaßt
**hatred** der Haß
**have** haben* (as aux. also) sein* (s); — **(= cause to or order to)** lassen*; — **to** müssen*
**hazard** die Gefahr, -en
**he** er; — **who** wer
**head** der Kopf, ⸚e, das Haupt, ⸚er; — **of the army** die Spitze, -n; — **of the family** das Oberhaupt, ⸚er; **to — for** an-fliegen* (s) gegen (acc.); — **the list** an der Spitze stehen*
**headlight** der Scheinwerfer, -
**hear** hören, erhören
**heart** das Herz (-ens), -en
**heathen** heidnisch
**heaven** der Himmel
**heavy** schwer
**Hebrew (language)** das Hebräische (adj. decl.)
**heinous** ruchlos
**heir** der Erbe (-n), -n
**help** helfen* (dat.); — **establish** zum . . . verhelfen* (dat.)
**Hellenic** hellenisch
**hence** daher, somit; —**forth** fortan
**her** ihr

**here** hier, da; **—with** hiermit
**hermit** der Einsiedler, -; der Einsiedel, -
**hero** der Held (-en), -en
**hesitate** zögern
**hesitation** das Zögern
**hidden** geheim
**hide** die Haut, ⸚e
**hide** verstecken
**hideous** ruchbar
**high** hoch (drops c in inflection)
**high (gear)** dirękt
**High German** hochdeutsch
**highway** der Weg, -e; die Landstraße, -n
**hill** der Hügel, -
**him** ihm (dat.), ihn (acc.)
**himself** (emphatic) selbst, (reflex.) sich
**his** sein
**historian** der Geschichtsschreiber, -
**historical** geschichtlich
**history** die Geschichte, -n
**hit** treffen*
**hitch** spannen
**hoard** der Hort, -e
**hold** halten*
**hole** das Loch, ⸚er
**holy** heilig
**home** das Haus, ⸚er; **at —** zu Hause; **— owner** der Hausbesitzer, -; **—less** obdachlos
**honest** rechtschaffen
**honey** der Honig
**honor** die Ehre, -n; **in her —** ihr zu Ehren
**hood** die Motorhaube, -n
**hope** hoffen
**horn** die Hupe, -n
**horse** das Pferd, -e; **on —back** zu Pferde; **—less** pferdelos
**hour** die Stunde, -n; **per —** die Stunde, in der Stunde
**house** das Haus, ⸚er
**housewife** die Hausfrau, -en
**housing problem** das Wohnungsproblęm, -e
**how** wie
**however** aber, doch, jedoch
**huge** gewaltig
**human** menschlich
**humble** tief
**humor** der Humǫr
**Hun** der Hunne, -n; **king of the —s** der Hunnenkönig, -e
**hundred** hundert
**Hungary** (das) Ungarn
**hurl down** (hin)ab-schleudern
**hurry on** weiter-eilen (s)
**husband** der Mann, ⸚er, der Gatte (-n), -n, der Gemahl, -e
**hut** die Hütte, -n

I

**identity** die Identitạ̈t, -en; **reveal one's —** sich zu erkennen geben*
**idiom** das Idiǫm, -e
**idle** faul
**if** wenn; **— (=whether)** ob
**ignition** die Zündung, -en
**ignorance** das Unwissen; **in complete —** ohne alle Kenntnis
**ill** krank; **speak — of** lästerlich reden von (dat.)

**illness** die Krankheit, -en
**illustrious** glänzend
**image** das Bild, -er
**imitate (someone)** es (einem) nach-tun*, nach-ahmen
**immediate** unmittelbar; **—ly** gleich sogleich, sofort
**immortalize** verewigen
**implement** das Gerät, -e
**import** beziehen*, ein-führen
**important** bedeutend, wichtig
**in** in, auf (dat.)
**inadvertently** unvorsichtig
**incident** der Vorfall, ⸚e
**include** umfassen
**including** einschließlich (gen.)
**inconvenience** die Unannehmlichkeit, -en
**increase** die Zunahme, -n; **to —** steigen* (s); **to — to** steigen* auf (acc.)
**indeed** ja, in der Tat
**India** (das) Indien
**indigenous** einheimisch
**individual** der Mensch (-en), -en
**Indogermanic** indogermanisch
**induce** bewegen*
**indulgence** der Ablaß, Ablässe
**industrious** fleißig, geschäftig
**industry** die Industrie, -n
**Infanta** die Infantin, -nen
**inhabitant** der Einwohner, -, der Insasse (-n), -n
**inland town** die Binnenstadt, ⸚e
**inner** inner
**innocent** unschuldig
**inquire** fragen, sich erkundigen nach (dat.)
**insist on** *or* **upon** bestehen* auf (dat.)
**instance** der Fall, ⸚e
**instantaneous** augenblicklich
**instead** (an)statt (gen.)
**intend (to)** bestimmen, beabsichtigen, wollen*
**intensify** verschärfen
**interest** der Zins, -en; **— on** der Zins für (acc.)
**intermission** die Pause, -n
**interpret** aus-legen
**intersection** die Kreuzung, -en
**interval** der Zeitraum, ⸚e
**into** in (acc.)
**invention** die Erfindung, -en
**invite** ein-laden*
**iron** das Eisen; **—age** die Eisenzeit
**irresistible** unwiderstehlich
**irresistibly** mit unwiderstehlicher Macht
**Italian** italienisch; **— person** der Italiener, -
**Italy** (das) Italien
**item** der Gegenstand, ⸚e
**its** sein, ihr
**itself** sich

J

**jealousy** die Eifersucht
**jester** der Narr (-en), -en
**jeweler** der Goldschmied, -e
**jewelry** der Schmuck; **article of —** der Schmuckgegenstand, ⸚e
**join** bei-treten* (s), sich an-schließen* (dat.)

**jot down** sich (dat.) notieren
**judge** der Richter, -; **to —** richten
**July** der Juli, -s
**journey** die Reise, -n
**jump** springen* (s)
**Jura** der Jura (*mountain range in northern Switzerland and southern Germany*)
**just** eben

K

**keep** behalten*; **— at one's house** bei sich behalten*; **in —ing with** entsprechend (dat.)
**kill** töten
**kilometer** der *or* das Kilometer, -
**kind** die Art, -en
**king** der König, -e
**kitchen** die Küche, -n
**knight** der Ritter, -
**know** (facts) wissen*; **—** (persons and things) kennen*
**knowledge** die Kenntnis, -se; das Wissen

L

**laboratory** das Laboratorium, Laboratorien
**lack** der Mangel; **— of** Mangel an (dat.); **to —** mangeln; **I — money** es mangelt mir an Geld
**lady** die Dame, -n
**land** das Land, -e *and* ⸚er
**landlord** der (Haus)wirt, -e
**language** die Sprache, -n
**large** groß; **by and —** im großen und ganzen; **second —st** zweitgrößt
**largely** meistens
**last** letzt; **—ly** zuletzt; **to —** dauern
**late** spät; (as in Lesson 18) jung; **the — Middle Ages** das ausgehende Mittelalter
**later** späterhin; **three years —** nach drei Jahren
**Latin school** die Lateinschule, -n
**latter: (the) —** dieser
**laugh** lachen; **— at** verlachen
**laurel (tree)** der Lorbeerbaum, ⸚e
**Lausitz** (Lusatia) die Lausitz
**law (= jurisprudence)** Jus *or* Jura, die Rechte (pl.), die Rechtswissenschaft; **— and order** die Ruhe; **doctor of —s** der Doktor der Rechte
**lay aside** beiseite legen
**Lay of Hildebrand** das Hildebrandslied
**lead** das Blei, -e
**lead** führen; **—ing** führend
**leadership** die Führung
**legend** die Sage, -n
**league** der Bund, ⸚e
**learn** lernen; **— (= find out)** erfahren*, vernehmen*; **—ed** gelehrt; **—ing** das Lernen, die Gelehrsamkeit
**lease** der Mietsvertrag, ⸚e
**leave** der Abschied, -e; **to —** verlassen*; **— (= bequeath)** hinterlassen*
**lecture** der Vortrag, ⸚e; **to — on** lesen* über (acc.)
**left** links; **on the —** links
**legal studies** das rechtswissenschaftliche Studium

**legitimate** ständig

**let** lassen*; — **(=rent out)** vermieten; — **to** vermieten an (acc.); — **loose** los-lassen*

**letter** der Brief, -e, das Schreiben, -; — **to** der Brief *or* das Schreiben an (acc.)

**liberate** befreien

**license** die Lizẹnz, -en; **driver's** — der Führerschein, -e

**license fee** die Gebühr, -en

**lie** liegen*; — **down** sich legen

**Liechtenstein** (das) Liechtenstein

**life** das Leben; **take one's own** — sich das Leben nehmen*, sich den Tod geben*; **to** — ins Leben; **way of** — die Lebensweise, -n; **all his** — sein Lebtag; —**time** die Lebzeiten (pl.)

**lifelike** naturgetreu; — **(= similar)** ähnlich

**lift up** ab-heben*

**light** das Licht, -er; **come to** — sich heraus-stellen; **dot of** — der Lichtpunkt, -e; — **wave** die Lichtwelle, -n; **to** — an-zünden

**lightning** das Blitzen; **bolt of** — der Blitzstrahl, -en

**like** gleich; **to** — mögen*; **I** — **it** es gefällt mir; **I** — **to read** ich lese gern

**lily** die Lilie, -n

**limited** bescheiden

**line** die Linie, -n; **telephone** — die Leitung, -en

**linen bag** der Leinensack, ⸚e

**link** verbinden*

**liquid** die Flüssigkeit, -en

**list** die Reihe, -n

**listen (to)** hören, zu-hören (dat.)

**literally** förmlich, buchstäblich

**literary** literạrisch

**literature** die Literatụr, -en

**little (= small amount)** wenig; — **(in size)** klein

**live** leben; — **(= dwell)** wohnen; **as long as he** —**s** sein Leben lang

**lively** lebhaft

**living** lebendig; **everyday** — das Alltagsleben

**load** die Fuhre, -n

**locality** der Ort, -e *and* ⸚er

**locate** auf-finden*; **be** —**d** sich befinden*

**lock** die Locke, -n; — **of woman's hair** die Frauenlocke, -n

**log of firewood** das Scheit, -e *and* -er

**long** (adj.) lang; **a fairly** — **journey** eine längere Reise; — (adv.) lange; **no** —**er** nicht einmal mehr

**look** schauen, sehen*; — **like** aussehen* wie; — **up** auf-sehen*

**lose** verlieren*; — **one's life** das Leben verlieren*, um das Leben kommen* (s)

**losing** der Verlust, -e

**loss** der Verlust, -e

**Louis d'or** der Louisdor (*luidọr*), -s

**love** die Liebe, -n; — **for** die Liebe zu (dat.); **fall in** — **with** sich verlieben in (acc.)

**low** flach

**low-burning** herabgebrannt
**Low German** niederdeutsch
**loyal** treu
**loyalty** die Treue
**luck** das Glück
**lustre** der Glanz
**lyric** lyrisch

M

**machine** die Maschịne, -n
**machinery** die Maschinerie, -n
**Madam** die Madame (mạdạm)
**madness** die Wirren (pl.)
**magic** zauberkräftig; — **hood** die Tarnkappe, -n; — **power** die Wunderkraft, ¨e; — **ring** der Wunderring, -e
**magnificent** prächtig, prachtvoll
**maintain** behaupten; — **(=preserve)** erhalten*
**majority** die Mehrzahl
**make** machen, an-fertigen, her-stellen; — **(= cause to)** lassen*; — **off** sich davon machen
**man** der Mann, ¨er, der Mensch (-en), -en
**manner** die Art, -en
**manuscript** die Handschrift, -en
**many** viele; — **a** mancher
**march** der Zug, ¨e
**market** der Markt, ¨e; **be —ed** auf den Markt kommen* (s)
**marvel** das Wunder, -
**Marzipan** der *or* das Marzipan, -e
**master** der Meister, -; — **at-arms** der Waffenmeister, -; — **song** das Meisterlied, -er
**material** das Materịal, -ien; **raw—** der Rohstoff, -e
**matriculate** sich immatrikulieren (*or* einschreiben*) lassen*
**matter** die Sache, -n; **it is a — of** gelten*
**maximum speed** die Höchstgeschwindigkeit, -en
**may** können*, mögen*; — **(= be permitted)** dürfen*
**mayor** der Bürgermeister, -
**mean** böse
**mean** meinen; — **(= signify)** bedeuten
**means** das Mittel, -; — **of communication** der Verkehr; **by — of** durch; **by no —** mitnichten, keineswegs
**meanwhile** indessen
**meat** das Fleisch
**Mecca** (das) Mekka
**mechanical** mechạnisch
**medicine (=medical art)** die Heilkunst
**meet** treffen*; — **(= correspond to)** entsprechen* (dat.); — **one another** sich treffen*, zusammen-treffen* (s); **advance to —** entgegen-treten* (s) (dat.); **come to —** entgegenkommen* (s) (dat.); **travel to —** entgegen-ziehen* (s)
**meistersinger** der Meistersänger, -
**member** das Mitglied, -er
**memorable** denkwürdig
**mention** nennen*

**merchant** der Kaufmann, Kaufleute
**mercy** die Gnade, -n
**mere** bloß
**merit** das Verdienst, -e
**metal ware** die Metạllware, -n
**microphone** das Mikrophọn, -e
**middle** die Mitte, -n; **in the — of** mitten in (dat.)
**Middle Ages** das Mittelalter
**midland** das Mittelland, ⸚er
**mighty** mächtig
**migration** die (Völker)wanderung, -en
**mile** die Meile, -n
**million** die Milliọn, -en
**mine** mein
**mining** der Bergbau
**minute** kleinst
**miracle** das Wunder, -; **— man** der Wundermann, ⸚er
**mischievous** mutwillig
**misgiving** der Zweifel, -
**mishap** das Unheil
**mistress** die Herrin, -nen
**misunderstanding** das Mißverständnis, -se
**mix** durch-mischen
**mixture** die Mischung, -en
**mockingly** spöttisch
**model** das Vorbild, -er
**modern** modern; **— (= recent)** neuerlich
**modest** bescheiden
**monastery** das Kloster, ⸚
**money** das Geld, -er
**monk** der Mönch, -e
**month** der Monat, -e
**monument** das Denkmal, ⸚er
**moral** sittlich, morạlisch
**more** mehr; **— and —** immer mehr **— and — excited** immer aufgeregter
**moreover** auch, außerdem
**morning** der Morgen, -; **in the —** morgens
**mortgage** die Hypothẹk, -en; **take a —** eine Hypothek auf-nehmen*
**most** meist
**mother** die Mutter, ⸚
**motor** der Motọr, Motọren
**mount** auf-bauen; — (intrans.) steigen* (s) auf (acc.)
**mountain** der Berg, -e; **— stream** der Bergstrom, ⸚e
**mountainous** gebirgig
**mouse** die Maus, ⸚e
**mouthpiece** die Sprechmuschel, -n
**movable** schwenkbar
**move** bewegen; — (intrans.) **begin to —** in Schwung kommen* (s)
**much** viel
**Munich** (das) München
**music** die Musịk
**musical** musikạlisch
**musician** der Mụsiker, -
**must** müssen*; **— not** nicht dürfen*
**my** mein
**mysterious** geheimnisvoll

N

**nail** an-schlagen*
**name** der Name (-ns), -n; **to — (=call)** heißen*; **—d** namens

**national costume** die Nationaltracht (*natsjonal-*), -en
**native land** die Heimat
**natural** natürlich
**nature** die Natur, -en, der Charakter, Charaktere
**naval architect** der Schiffbaumeister, -
**navigable** fahrbar, schiffbar
**near** nah(e); bei (dat.); an (dat.)
**Near East** der nahe Orient, (das) Vorderasien
**near-by** nah, benachbart
**nearly** fast
**necessary** notwendig; **if —** nötigenfalls, wenn nötig
**need** brauchen; **be in — of** benötigen
**needle** die Nadel, -n
**needless** unnötig
**neighbor** der Nachbar, -n
**neighborhood** die Nachbarschaft, -en
**neither . . . nor** weder . . . noch
**Neolithic Age** die Neusteinzeit
**nephew** der Neffe (-n), -n
**nestle** nisten
**Netherlands** die Niederlande (pl.)
**neutral** der Leerlauf
**never** nie
**nevertheless** dennoch
**new** neu
**newly founded** neugegründet
**news** die Kunde, -n
**newscast** der Nachrichtendienst
**next** (adj.) nächst; **very —** folgend; **—** (adv.) zunächst, hierauf
**Nibelung** der Nibelung, -en
**night** die Nacht, ¨e, der Abend, -e
**nineteenth** neunzehnt
**ninety** neunzig
**ninth** neunt
**no** kein; **— longer** nicht mehr; **— one** niemand, keiner
**noble** edel, adelig, hoch
**nobody** niemand, keiner
**none** niemand, keiner
**nonetheless** wohl, doch
**noonday nap** der Mittagsschlaf
**north** der Norden
**North German** norddeutsch
**north(ern) Germany** (das) Norddeutschland
**northeast** nordöstlich; **toward —** nach Nordosten
**North Sea** die Nordsee
**not** nicht; **— any** kein
**note** die Note, -n
**nothing** nichts
**notice** die Notiz, -en; **give —** kündigen; **to —** merken, bemerken, erblicken
**notwithstanding** trotz (gen. *or* dat.)
**novel** der Roman, -e
**November** der November, -
**now** nun, jetzt; **by —** nunmehr
**nowadays** heutzutage
**nowhere** nirgends
**number** die Zahl, -en, die Anzahl, die Menge, -n
**nunnery** das (Frauen)kloster, ¨
**Nuremberg** (das) Nürnberg; **of —** Nürnberger

O

**Oberammergau** (das) Oberammergau; **inhabitants of —** die Oberammergauer
**object** der Gegenstand, ⸚e
**oblige** zwingen*
**observe** sehen*
**obsession** die Dämonie, die Besessenheit
**obstacle** das Hindernis, -se; **— to** Hindernis für (acc.)
**obtain** erhalten*; **— (= secure)** ein-holen
**obvious** offensichtlich
**occupation** die Beschäftigung, -en; **principal —** die Hauptbeschäftigung, -en
**o'clock** Uhr
**Odin** Wotan, *chief god in Norse mythology*
**Odoacer** (der) Odoạker
**of** von, aus (dat.) (*often rendered by gen. case*)
**offend** beleidigen
**offer** bieten*, an-bieten*, an-tragen*; **— (= volunteer)** sich erbieten*; **— a reward** eine Belohnung aussetzen lassen*
**office** das Amt, ⸚er; **in —** im Amt
**official** offiziẹll; **semi-—** halboffiziẹll
**often** oft
**Oh** O!
**old** alt; **of —** alt; **second —est** zweitältest
**Old High German** das Althochdeutsche (adj. decl.)
**Old Norse** altnordisch
**on** an, auf (dat. *or* acc.)
**once** einmal, einst; **at —** sofort, sogleich; **— upon a time** einmal; **— more** wieder, von neuem
**one** ein, eins; — (pron.) einer; — (indef. pron.) man; **— another** einạnder
**only** nur, allein; **— (= not until)** erst; **— (= sole)** einzig
**open** auf-machen; (as in Lesson 1) über-geben*; **— up** an-bahnen; — (intrans.) sich eröffnen
**opera** die Oper, -n
**operate a car** einen Wagen fahren*
**operation** die Operation (*-tsjọn*), -en; **in —** in Betrieb stehend
**opinion** die Ansicht, -en; **be of the —** meinen
**opponent** der Gegner, -
**opposite** umgekehrt
**opposition** der Gegensatz, ⸚e; **— to** gegen (acc.)
**or** oder
**order (= rank)** der Rang, ⸚e; **in — to** um . . . zu; **— to come** kommen lassen*
**ordination** die Priesterweihe, -n
**organize** ein-richten
**Orient** der Oriẹnt, das Abendland
**original** ursprünglich
**originate** entspringen* (s)
**ornament** das Schmuckstück, -e
**ornament-laden** schmuckbeladen
**oscillation** die Schwingung, -en; **electric —** die Stromschwingung, -en

**other** ander; **on the — hand** andrerseits; **among —s** unter anderem
**ought** sollen*
**our** unser
**out** (adv.) heraus, hinaus
**out of** aus (dat.); **— the question** außer Frage
**over** über (dat. *or* acc.)
**overcome** übermannen, überwinden*
**overjoyed** hocherfreut
**overpass** die Überführung, -en
**owe** verdanken (dat.)
**own** eigen; **of its —** eigen (attrib. pos.); **to —** besitzen*
**owner** der (Haus)besitzer, -

P

**package** das Paket, -e
**page** die Seite, -n
**pain** der Schmerz, -en
**pains** die Mühe; **to take —** sich (dat.) die Mühe geben*
**paint** malen
**painting (= picture)** das Bild, -er; — (as an art) die Malerei
**pair** das Paar, -e; **in —s** paarweise
**palace** das Schloß, Schlösser
**paper** das Papier, -e
**Paleolithic Age** die Altsteinzeit
**paradise** das Paradies, -e
**parcel of land** das Grundstück, -e
**part** der Teil, -e; — (geog.) die Gegend, -en; **take — in** teil-nehmen* an (dat.); tätig sein* (s) bei (dat.)
**participant** der Teilnehmer, -
**participate in** mit-wirken, tätig sein* (s) bei (dat.)
**pass** (exam.) bestehen*; (intrans.) vergehen* (s); **— on** (as in Lesson 21) auf-geben*; **— to** über-gehen* (s) an (acc.)
**passenger** der Fahrgast, ¨e, die Person, -en
**passing** das Verscheiden
**passion** die Leidenschaft, -en; **— play** das Passionsspiel, -e
**paternal** väterlich
**patient** geduldig; **be —** sich gedulden
**pattern** das Muster, -
**Paul** (der) Paulus
**pay** zahlen, bezahlen; **— out** auszahlen; **— cash** bar bezahlen; **— down** an-zahlen; **— up** abbezahlen
**peace** der Friede (-ns); **—able** friedlich
**peak** der Gipfel, -
**peasant** der Bauer (-s *and* -n), -n; **—'s wife** die Bäuerin, -nen
**pencil** der Bleistift, -e
**penetrate** durchdringen*
**people (= individuals)** die Leute, die Menschen; **— (= nation)** das Volk, ¨er; **— say** man sagt
**perceive** empfinden*
**perform** auf-führen
**perhaps** vielleicht, gar, eventuell
**period** die Zeit, -en
**perish** um-kommen* (s)

**permit** gestatten; **be —ted** dürfen*
**person** die Person, -en; **in —** persönlich
**personality** die Persönlichkeit, -en
**persuade** überreden
**petrified** versteinert
**petroleum** das Petroleum
**Philip** (der) Philipp
**philosopher** der Philosoph, -en
**Phoenician** der Phönizier
**photoelectric** photoelektrisch
**physician** der Arzt, ⸚e
**piano** der Flügel, -; das Klavier, -e
**pick up** auf-lesen*, auf-nehmen*
**pierce** durchbohren
**pious** fromm
**pirate** der Seeräuber, -
**pity: take —** sich erbarmen
**place** die Stelle, -n; **—** (geog.) der Ort, -e *and* ⸚er
**plague** die Pest
**plaintiff** der Kläger, -
**plan** der Plan, ⸚e
**plank** die Bohle, -n
**plate** der Teller, -
**play** das Spiel, -e; **at —** spielend; **to —** spielen
**plea** das Flehen
**plead** bitten*; **— with** an-flehen, innigst bitten* um (acc.)
**pleasant (= amiable)** liebenswürdig
**please (=I beg of you)** bitte
**pleasure** die Freude, -n
**plow horse** der Ackergaul, ⸚e
**plunge down** herab-stürzen (s)
**poem** das Lied, -er, das Gedicht, -e; **— in rhymed couplets** die Reimpaardichtung, -en
**poet** der Dichter, -, der Poet, -en
**point to** weisen* auf (acc.)
**Poland** (das) Polen
**polemic** polemisch
**political** politisch
**poor** arm; **— (= inferior)** schlecht
**populace** die Bevölkerung, -en
**popular** volkstümlich; **— (= beloved)** beliebt
**populated** geschlossen
**porcelain** das Porzellan, -e
**portray** dar-stellen
**portrayal of the North Sea** das Nordseebild, -er
**Portuguese** der Portugiese (-n), -n
**position (= job)** die Stellung, -en; **— (= location)** die Lage, -n
**possess** besitzen*, haben*
**possession** der Besitz
**possibility** die Möglichkeit, -en; **— of expression** die Ausdrucksmöglichkeit, -en
**pottery works** die Porzellanfabrik, -en
**power** die Macht, ⸚e, die Kraft, ⸚e, die Gewalt, -en
**powerful** mächtig
**practical** praktisch
**practice** sich betätigen in (dat.)
**pray for** erflehen
**prayer** das Gebet, -e
**precedence** der Vorrang
**precious** kostbar, edel
**predecessor** der Vorgänger, -
**prefer** (es) vor-ziehen*

**prepare for** sich vor-bereiten auf (acc.)
**presence: in the — of** bei (dat.)
**present** anwesend; **to —** vor-tragen*, zu-führen; **—ly** gegenwärtig
**preservation** die Wahrung
**preserve** erhalten*
**press** drücken, pressen; **— on** drücken auf (acc.)
**presuppose** voraus-setzen
**pretend** vor-geben*
**prevail** herrschen, vor-wiegen*
**prevent** verhindern; **before I could — it** ehe ich mich's versah
**priest** der Priester, -
**primeval ancestors** die Urvorfahren
**primitive** primitịv; **— man** der Urmensch (-en), -en
**prince** der Prinz (-en), -en; **—** (rank) der Fürst (-en), -en; **—ly line** das Fürstengeschlecht, -er
**princess** die Prinzẹssin, -nen
**principle** der Grundsatz, ⸚e
**prior to** vor (dat.)
**private** privạt; **— hands** in Privathänden
**probable** wahrscheinlich
**probably** wohl, vermutlich
**proceed** ziehen* (s)
**process** der Vorgang, ⸚e
**procession** der Zug, ⸚e
**produce** machen, her-stellen
**product** das Erzeugnis, -se, das Produ̧kt, -e
**profession** der freie Beruf, -e
**professor** der Profẹssor, Professọren
**program** das Progrąmm, -e
**prolific** fruchtbar
**promise** versprechen*, geloben (dat.)
**promote** befördern
**proof** der Beweis, -e; **furnish —** einen Beweis liefern
**proportion** das Verhältnis, -se; **in —** im Verhältnis
**propose** vor-schlagen*
**prose** die Prosa
**protect** sichern, schützen; **— against** sichern *or* schützen vor (dat.)
**proud** stolz; **— of** stolz auf (acc.)
**proverb** das Sprichwort, ⸚er
**proverbial** sprichwörtlich
**province** die Provịnz, -en
**Prussia** (das) Preußen
**provide** sorgen für (acc.)
**public** öffentlich, allgemein
**public career** die amtliche Laufbahn, -en
**publication** die Veröffentlichung, -en
**publish** veröffentlichen
**punish** strafen
**pupil** der Schüler, -
**pure** lauter
**purse** der Säckel, -
**put** legen

Q

**quantity** die Menge, -n
**quarrel** der Streit, -e
**quarters** die Wohnung, -en
**queen** die Königin, -nen
**question** die Frage, -n; **out of the —** außer Frage; **to —** befragen

**quick** schnell

**quite** ganz

R

**race** die Rasse, -n; **to —** laufen* (s)

**radiator** der Kühler, -

**radio** der Rundfunk, das Fernhören; **— set** der Rundfunkapparat, -e

**rage** wüten

**railroad** die Eisenbahn, -en; **— coach** der Eisenbahnwagen

**railway line** die Eisenbahnlinie, -n

**rain** der Regen

**raise** auf-erziehen*; **— (rent)** steigern

**range** schwanken

**rank** der Rang; **of the first —** ersten Ranges; **— among** zählen zu (dat.)

**rapid** rasch, reißend

**rarely** selten

**rather** ziemlich, recht

**raven** der Rabe (-n), -n

**raw materials** die Rohmaterialien (pl.)

**reach** gelangen (s) nach *or* zu (dat.), erreichen; **— for** fassen (*or* greifen*) nach (dat.)

**read** lesen*

**ready** bereit; **get —** sich an-schicken

**real** wirklich

**realistic** natürlich, anschaulich

**reality** die Wirklichkeit, -en

**realization** die Überzeugung, -en; die Einsicht, -en

**realize** bemerken

**really** eigentlich

**realm** das Reich, -e

**rebel against** sich auf-lehnen gegen (acc.)

**rebuff** zurück-weisen*

**receive** auf-nehmen*, erhalten*; **—r** der Hörer, -

**recognize** erkennen*

**reception** der Empfang, ¨-e

**red** rot

**reddish** rötlich

**reduce** auf-lösen

**reflect** sich (wider-)spiegeln; **— (= think, consider)** bedenken*

**Reformation** die Reformation (*-tsjọn*)

**reformer** der Reformạtor, Refor-matọren

**refrain from** sich erwehren (gen.)

**refuge** die Zuflucht, -en

**regain** zurück-erobern

**regarding** hinsichtlich (gen.)

**regiment** das Regimẹnt, -e *and* -er

**regular** regelmäßig, regelrecht

**reign** die Regierung, -en

**reject** ab-lehnen

**rejuvenate** verjüngen

**relate** erzählen

**relationship** die Verwandtschaft, -en

**release** lösen

**relent** ein-willigen

**religion** die Religiọn, -en

**religious** geistlich, religiọ̈s

**reload** wieder-laden*

**remain** bleiben* (s)

**remark** bemerken, versetzen

**remedy** ab-helfen* (dat.)

**remit** zu-stellen

**remote** entlegen
**remove** weg-nehmen*
**render** wieder-geben*
**renounce** entsagen (dat.)
**rent** die Miete, -n; **to —** mieten
**repair shop: auto —** die Autoreparaturwerkstatt, ⸚en
**repay** vergelten* (dat.)
**repeat** wiederholen
**replace** ersetzen; (as in Lesson 16) ab-lösen
**reply** die Antwort, -en; **to —** antworten (dat.), entgegnen (dat.)
**report** berichten
**represent** dar-stellen
**representative** der Vertreter, -
**reproduce** wieder-geben*
**republic** die Republik, -en
**repute: international —** der Weltruf
**request** die Bitte, -n; **to —** verlangen, ersuchen
**require** erfordern
**requirement** das Bedürfnis, -se; **to meet the —s** den Bedürfnissen entsprechen*
**resemble** ähnlich sehen* (dat.)
**resolve** beschließen*, sich entschließen*; **—d** entschlossen
**resort** (die) Zuflucht nehmen*
**respect** verehren; **—ed** angesehen
**rest** die Ruhe; **the — of** übrig; **to —** ruhen
**restore** auf-bauen, wieder her-stellen
**result** entstehen* (s)
**resurrection** die Auferstehung
**retain** bei-behalten*
**return** die Rückkehr, die Wiederkehr; **in —** dafür, dagegen; **to —** wiederkommen* (s), wieder-ziehen* (s), zurück-kehren (s); **— home** heimkehren (s)
**reunite** wieder-vereinen
**reveal** entdecken
**revenge** die Rache
**reverse** umgekehrt
**reward** der Lohn, ⸚e, die Belohnung, -en
**Rhaeto-Romanic** rätoromanisch
**Rhine** der Rhein
**rhythm** der Takt, -e
**rich** reich
**ride** reiten* (s); **— after** nachreiten* (s) (dat.)
**rider** der Reiter, -
**ridge** der (Berg)kamm, ⸚e
**rifle** die Büchse, -n
**right** recht; **on the —** rechts; **all —** nun gut
**rightfully: not —** zu Unrecht
**rigid** fest
**ring** der Ring, -e
**rise** steigen* (s), sich erheben*
**rising** der Aufgang
**risk** die Gefahr, -en
**river** der Fluß, Flüsse
**road** der Weg, -e
**roam** ziehen* (s)
**rob** rauben, berauben
**robber baron** der Raubritter, -
**rock** der Stein, -e
**role** die Rolle, -n; **speaking —** die Sprechrolle, -n

**roll** rollen (s); **— along** dahinrollen (s); **— away** hinweg-wälzen; **— down** herab-rollen (s), hinabrollen (s)
**Rome** (das) Rom
**roof** das Verdeck, -e
**room** das Zimmer, -, die Stube, -n, der Raum, ⸚e
**roots: have —** wurzeln
**Romania** (das) Rumänien
**route** der Weg, -e
**royal** königlich
**rubber** der (*or* das) Kautschuk, -e
**rule** die Regel, -n; **as a —** in der Regel
**ruler** der Herrscher, -
**rumor** das Gerücht, -e
**run** laufen* (s); **— to** sich belaufen auf (acc.)
**running board** das Trittbrett, -er
**rush** sich stürzen
**Russia** (das) Rußland

S

**sack** der Sack, ⸚e
**sacred** heilig
**saddle** satteln
**saga** die Sage, -n
**safety** die Sicherheit
**sail through** durchschiffen
**saint** (der) Sankt
**sake: for the — of** wegen (gen.); **for Heaven's —** um Gottes willen
**salvation** das Heil
**same** derselbe, dieselbe, dasselbe
**satire** der Hohn
**save** retten
**Savior** der Heiland
**Saxony** (das) Sachsen
**say** sagen, sprechen*; **— "yes"** bejahen; **be said to** sollen*
**saying** der Sinnspruch, ⸚e
**Scandinavian** skandinavisch
**scarcely** kaum
**scholar** der Gelehrte (adj. decl.); der Student (-en), -en, der Schüler, -
**school** die Schule, -n
**schooling** die Schulbildung
**Schwyz** Schwyz *(canton of Switzerland)*
**scornful** höhnisch
**scribe** der Schreiber, -
**sea** die See, -n, das Meer, -e; **—route** der Seeweg, -e; **—faring** seefahrend
**season** die Zeit, -en
**second** zweit
**secret** heimlich, geheim; **—ly** insgeheim
**section** die Gegend, -en; **major —** der Hauptteil, -e
**secular** weltlich
**see** sehen*
**seek (= apply for)** an-suchen um (acc.)
**seem** scheinen*, erscheinen* (s), vorkommen* (s)
**seize** ergreifen*, fest-nehmen*
**select** wählen
**self** das Ich
**sell** verkaufen; **— below cost** unter dem Kaufpreis verkaufen

**selling** der Verkauf, ⸚e
**send** schicken; — **for** kommen lassen*; — **down rain** regnen lassen*
**sense of guilt** das Schuldgefühl
**separate** einzeln
**serve** dienen
**set (radio)** der Apparat, -e
**set** setzen; — **in** ein-setzen; — **out for** ziehen* (s) nach (dat.)
**settle** schlichten
**settler** der Siedler
**seven** sieben; —**th** siebt
**seventeen** siebzehn
**seventy** siebzig
**several** einige, mehrere
**shake** schütteln
**shall** sollen*; — (aux. fut. tense) werden* (s)
**shape** die Gestalt, -en
**sharp** scharf
**shear** scheren*
**shift** schalten; — **into neutral** auf Leerlauf schalten; — **into first (second) gear** auf den ersten (zweiten) Gang ein-schalten
**shine** scheinen*
**shining** glänzend
**ship** das Schiff, -e
**shirt** das Hemd, -en
**shock** entsetzen
**shoe** der Schuh, -e
**shore** das Ufer, -
**short** kurz; **in** — kurz; — **wave** die Kurzwelle, -n
**show** zeigen
**Shrovetide play** das Fastnachtspiel, -e
**sickly** kränklich
**sickness** die Krankheit, -en
**side** die Seite, -n
**sight** der Anblick; **catch — of** zu Gesicht bekommen*; **out of** — außer Sicht
**signify** bedeuten, bezeichnen
**sign post** der Wegweiser, -
**Silesia** (das) Schlesien
**silk** die Seide, -n
**similar** ähnlich; —**ly** ebenso, in ähnlicher Weise
**simple** einfach
**since** (prep.) seit (dat.); — (conj.) (causal) da; — **then** seither
**single** einzig; **not a — one** kein einziger
**singly** einzeln
**sister** die Schwester, -n; —**-in-law** die Schwägerin, -nen
**sit** sitzen*; — **down** sich setzen
**situated: be** — liegen*
**situation** die Lage, -n
**six** sechs
**sixteenth** sechzehnt
**size** die Größe, -n
**skillful** geschickt
**skirt** umgehen*
**sky** der Himmel, -
**Slavic** slawisch
**slay** erschlagen*
**sleep** der Schlaf; **to** — schlafen*
**slow** langsam
**slumber** der Schlummer; **eternal** — der Todesschlaf

**sly** schlau
**small** klein
**smile** lächeln
**smooth** glatt
**snake** die Schlange, -n
**so** so; **—called** sogenannt
**society** die Gesellschaft, -en; — (= **social conditions**) die Gesellschaftsverhältnisse (pl.)
**soil** der Boden, ¨
**soiled** schmutzig
**sojourn** der Aufenthalt, -e
**soldier** der Soldạt (-en), -en
**solely** ganz
**solitude** die Abgeschiedenheit
**somber** düster
**some** (adj.) einige, etwas, irgendein, mancher; **—one** jemand; **—thing** etwas; **—times** manchmal; **—what** etwas; (adv.) etwa
**son** der Sohn, ¨e; **favorite** — der Lieblingssohn, ¨e
**song** der Gesang, ¨e, das Lied, -er
**soon** bald; **as** — **as** sobald; — **thereafter** kurz nachhẹr
**Sophocles** (der) Sophokles
**sort: all —s of** allerlei (indecl.)
**soul** die Seele, -n
**sound** der Schall, ¨e; — **wave** die Schallwelle, -n
**source** die Quelle, -n
**south** der Süden
**southeast** südöstlich; **the** — der Südosten; **the** — **corner** die Südostecke, -n
**southern** südlich
**South Germany** (das) Süddeutschland
**southwest** der Südwesten
**Spaniard** der Spanier, -
**spare** verschonen
**speak** sprechen*, reden
**spear** der Speer, -e
**special** besonder
**speech** die Sprache, -n; **everyday** — die Umgangssprache
**speechless** sprachlos
**speed** die (Fahr)geschwindigkeit, -en; **maximum** — die Höchstgeschwindigkeit, -en
**spend** verbringen*
**spirit** die Strömungen (pl.)
**spiritual** seelisch
**sportsman** der Sportler, -
**spot: right on the** — an Ort und Stelle
**spread** (intrans.) sich verbreiten; — **among** ein-jagen (dat. of pers.)
**spring** (=**season**) der Frühling, -e, das Frühjahr, -e; — (= **coil**) die Feder, -n
**spurious** falsch
**square** der Platz, ¨e; — **mile** die Quadratmeile, -n
**stab (to death)** erstechen*
**stack up** auf-schichten
**stage** das Stadium, Stadien; **—coach** die Post, -en, der Postwagen, -; **by** — im Postwagen
**stand** stehen*
**start** (trans.) in Betrieb setzen; **—up** (intrans.) an-springen* (s)
**starter** der Anlasser, -
**state** der Staat, -en; **to** — erklären

**statement** der Ausspruch, ⸚e; Lebensäußerung, -en
**station (radio)** der Sender, -
**statue** die Statue, -n
**steam engine** die Dampfmaschine, -n
**steamer** der Dampfer, -
**steel** der Stahl, -e, das Stahlblech, -e
**steep** steil
**steer** lenken
**steering wheel** das Lenkrad, ⸚er
**stem from** entstammen (dat.) (s)
**step** treten* (s); — **forward** vortreten* (s)
**still** noch; — (= **however**) doch
**stimulating** interessạnt
**sting** der Stachel, -n; **to** — stechen*
**stock: take** — (das) Lager auf-nehmen*
**stone** der Stein, -e
**stop** halt-machen; — **a car** zum Halt bringen*
**storm** der Sturm, ⸚e
**stout (= sturdy, excellent)** trefflich
**straightway** sogleich
**strange** merkwürdig, seltsam
**stranger** der Fremde (adj. decl.)
**stream** der Strom, ⸚e
**stride over** hin-schreiten* (s)
**strive (for)** streben (nach) (dat.)
**strong** stark
**struggle** der Kampf, ⸚e
**student** der Studẹnt (-en), -en; der Schüler, -; **fellow** — der Mitschüler, -, der Studiengenosse (-n), -n
**studio** die Werkstatt, ⸚en
**study** das Studium, Studien; **legal** — (*or* **studies**) das rechtswissenschaftliche Studium; **to** — studieren
**stupidity** die Dummheit, -en
**subject (= theme)** das Thema, Themen; **loyal** — der treue Untertan (-en), -en
**subject oneself** sich aus-setzen, sich unterwerfen* (dat.)
**submit** vor-legen
**substance** die Substanz, -en; **magic** — die Wundersubstanz, -en
**subterranean** unterirdisch
**succeed** gelingen* (s); **I** — es gelingt mir
**success** das Gelingen
**successful** erfolgreich
**such** solcher
**suddenly** plötzlich
**suffer** leiden*; **—ings** das Leiden
**suffice** genügen
**sugar** der Zucker
**suggest** meinen
**suit** passen zu (dat.); **be —ed for** taugen zu (dat.)
**sum** der Betrag, ⸚e
**summon** zu sich kommen lassen*
**sun** die Sonne, -n
**sunshine** der Sonnenschein
**superhighway** die Autobahn, -en
**suppose: be —d to** sollen*
**supra-mundane** überweltlich
**sure** sicher; **to be** — zwar; **—ly** sicherlich
**surprise: in** — verwundert; **—d** erstaunt
**surround** umringen
**swift** rasch

**swimmer** der Schwimmer, -
**swing at** schlagen* nach (dat.)
**Swiss** der Schweizer, -
**Switzerland** die Schweiz
**sword** das Schwert, -er
**symbol** das Symbọl, -e
**system** das Systẹm, -e
**systematic** regelrecht

T

**table** der Tisch, -e
**take** nehmen*; — (= **carry**) bringen*; — (= **last**) dauern; — **after** nach-setzen (s) (dat.); — **back** zurück-nehmen*; — **off** *or* **from** ab-nehmen* (dat. of pers.)
**talk** reden
**task** die Aufgabe, -n
**taunt** ärgern
**tax** die Steuer, -n
**tea** der Tee
**teach** lehren; —**er** der Lehrer, -
**tear** reißen*
**telephone** der Fernsprecher, -
**technical** technisch
**television** der Bildfunk, das Fernsehen; — **receiving set** der Bildfunkapparat, -e
**tell** sagen
**temperament** das Naturẹll
**ten** zehn; —**th** zehnt
**tenant** der Mieter, -
**tend** neigen
**tent** das Zelt, -e
**term** die Bezeichnung, -en; **on** —**s** auf Raten
**terrible** furchtbar
**terror** der Schreck(en)
**testament** das Testamẹnt, -e
**testimonial** das Zeugnis, -se
**Teuton** der Teutọne (-n), -n
**than** als
**that** (demonst. pron. and adj.) der, dieser, jener; — (rel. pron.) der, welcher; (*after* alles, etwas, nichts) was; — (indef. rel.) was; — (conj.) daß
**theater** das Theạter, -
**their** ihr
**them** sie
**theme** die Fabel, -n, das Thema, Themen
**themselves** (emphatic) selbst; — (reflex.) sich
**then** damals, dann; — (inferential) so, darauf, nachher; **since** — seitdem
**theological** theolọgisch
**theology** die Theologie
**theory** die Theorie
**there** da, dort, daselbst; — **is (are)** es gibt
**thereafter** darauf
**therefore** daher
**thesis** die These, -n
**they** sie, man
**thick** dick
**thief** der Dieb, -e
**thing** die Sache, -n, das Ding, -e
**think** denken*; — **of** denken an (acc.); meinen
**third** das Drittel, -

**thirteen** dreizehn
**thirty** dreißig; — **Years' War** der Dreißigjährige Krieg
**this** dieser
**those** diejenigen
**though** (conj.) obgleich; **as** — wie
**thought** der Gedanke (-ns), -n
**thousand** tausend; —**s upon** —**s** aber Tausende
**threaten** drohen (dat.)
**three** drei; — **times** dreimal
**throng** die Schar, -en
**through** durch (acc.)
**throughout** über
**thus** so, somit
**tie** schnüren
**till** bis; — **then** bisher
**time** die Zeit, -en; — (= **respite**) die Frist, -en; **a second** — zum zweiten Male; **at the same** — zugleich; **for a** — eine Zeitlang; **from** — **immemorial** schon von jeher, schon von alters her; **in** — rechtzeitig; **span of** — der Zeitraum, ⁻e; —**consuming** zeitraubend
**tint** färben
**tire** der Reifen, -; **spare** — das Ersatzrad, ⁻er, der Reservereifen, -
**Titian** (der) Tizian
**to** zu (dat.); — (of places) nach (dat.), bis (acc.)
**today** heute; **even** — noch heute
**together** zusammen
**token** das Zeichen, -
**tolerant** tolerạnt
**ton** die Tonne, -n
**too** zu; — (= **also**) auch
**top** der Gipfel, -
**torment** quälen
**toss** werfen*
**total number** die Gesamtzahl, -en
**tourist** der Tourịst (-en), -en
**toward** gegen (acc.)
**town** die Stadt, ⁻e; **small** — das Städtchen, -; —**speople** die Städter (pl.)
**trade** der Handel; **item of** — der Handelsgegenstand, ⁻e; — **school** die Berufsschule, -n; —**speople** das Handelsvolk, ⁻er; **to** — handeln, verhandeln
**tradition** der Brauch, ⁻e, die Sitte, -n
**traditional** üblich, althergebracht
**traffic** der Verkehr
**tragedy** die Tragọ̈die, -n
**tragic** tragisch
**training** die Ausbildung, die Vorbildung
**transfer** versetzen; (intrans.) übersiedeln (s)
**translation** die Übersetzung, -en
**transmission** das Getriebe, -
**transmit** übertragen*; — (= **bequeath**) vererben
**transmitter** der Sender, -
**travel** der Verkehr; **to** — fahren* (s), reisen (s), ziehen* (s); — (of a car) laufen* (s)
**traveler** der Wanderer, -
**treacherously** hinterrücks
**treasure** der Schatz, ⁻e, der Hort, -e
**treat** behandeln

**treatise** die Schrift, -en
**tree** der Baum, ⸚e
**tremble at** zittern vor (dat.)
**tremendous** gewaltig
**trickle down** tröpfeln (s)
**trip** die Reise, -n; **take a —** eine Reise machen
**troop** der Trupp, -s
**trouble: cause much —** (einem) viel zu schaffen machen
**trousers** die Hose, -n
**true** wahr, echt; **make come —** verwirklichen, verwahrheitlichen; **it is — that** wohl, zwar
**truly** wahrlich
**tune** die Melodie, -n; **— in** ein-stellen auf (acc.)
**turbulent** reißend
**turn** wenden*; — (intrans.) sich wenden*; **— to** sich wenden* an (acc.); **— into** um-setzen in (acc.); **— on** ein-schalten, an-stellen; **at every —** überall; **in — (he)** seinerseits; **in — (they)** ihrerseits
**twelfth** zwölft
**twelve** zwölf
**twentieth** zwanzigst
**twenty** zwanzig
**twig of fir** der Tannenzweig, -e
**two** zwei; **the — (= both)** beide
**type** die Art, -en

U

**ultimately** endlich, zuletzt
**unanimous** einstimmig
**unarmed** unbewaffnet
**uncle** der Onkel, -
**uncomfortable** unbequem
**under** unter (dat. *or* acc.)
**underpass** die Unterführung, -en
**understanding** das Verständnis, -se
**undesired** unerwünscht
**undoubtedly** zweifellos
**unfair** ungerecht
**ungrateful** undankbar
**unhappy** unglücklich
**uniform** gleichmäßig
**university** die Universität, -en, die hohe Schule, -n
**unite** vereinen, einigen; **the United States** die Vereinigten Staaten
**unparalleled** ohnegleichen
**unpardonable** unverzeihlich
**unrelenting** unerbittlich
**unsuspecting** arglos
**Unterwalden** (das) Unterwalden
**until** bis; **not —** erst
**unusual** seltsam
**up** auf; **— the Danube** donauaufwärts; **— to** bis
**upon** auf, an (dat. *or* acc.)
**upsurge** der Aufschwung, ⸚e
**urge** zu-sprechen* (dat. of pers.)
**urgent** dringend
**Uri** (das) Uri
**use** sich bedienen (gen.); **come into —** auf-kommen* (s)
**usual** gewöhnlich
**utterly** durchaus
**utmost** das Möglichste (adj. decl.)

V

**vain: in —** vergebens
**valley** das Tal, ⸚er
**variation** die Schwankung, -en; **electrical —** die Stromschwankung, -en
**varied** verschiedenartig; **— (= rich)** reichhaltig
**various** einzeln, verschieden
**vehicle** der Wagen, -, das Fahrzeug, -e
**velvet cap** das Samtkäppchen, -
**venerable** würdig
**Venice** (das) Venẹdig
**venture** die Tat, -en
**verdant** grün
**verdict** das Urteil, -e, der Rechtspruch, ⸚e
**version** die Fassung, -en
**vessel** das Schiff, -e; **— of China** das Porzellạngefäß, -e
**very** sehr; **— much** gar zu
**vice versa** umgekehrt
**victor** der Sieger, -
**victorious** siegreich
**victory** der Sieg, -e
**video image** das übertragene Bild
**Vienna** (das) Wien
**view** die Anschauung, -en
**village** das Dorf, ⸚er; **little —** das Dörfchen, -; **— maiden** die Dorfjungfrau, -en; **—r** der Dorfbewohner, -
**violence: act of —** die Gewalttat, -en
**virtue (= power)** die Macht, ⸚e
**vocation** der Beruf, -e
**voice** äußern
**Volga** die Wolga
**volume** der Band, ⸚e
**vow** das Gelübde, -; **to —** geloben, schwören*
**vulnerable** verwundbar

W

**wage war** Krieg führen
**waken** auf-wecken, erwecken
**walk** schreiten* (s); **— up to** treten* (s) an (acc.)
**waltz** der Walzer, -
**want (to)** wollen*
**war** der Krieg, -e; **Thirty Years' —** der Dreißigjährige Krieg
**ware** die Ware, -n
**warrior** der Krieger, -
**wash** waschen*
**watch** zu-sehen*
**water** das Wasser, -; **— pump** die Wasserpumpe, -n
**wave** die Welle, -n, die Schwingung, -en
**wax** das Wachs
**way** der Weg, -e; **— (=manner)** die Weise, -n
**wealthy** wohlhabend; **very —** steinreich
**wear** tragen*, auf-haben*
**weave** weben, weben*
**wed** (die) Hochzeit halten*
**welfare** das Wohl
**weep** weinen
**weigh** (intrans.) lasten
**well** die Quelle, -n

**well** (adv.) wohl; **as — as** sowohl . . . als; **very —** wohlan
**well-to-do** wohlhabend
**west** der Westen
**Westphalia** (das) Westfạlen
**what** was, welch
**wheat** der Weizen
**wheel** das Rad, ⸚er; **front —** das Vorderrad, ⸚er; **rear —** das Hinterrad, ⸚er
**when** (interrog. adj.) wann; — (conj.) als, wenn
**whenever** wenn
**where** wo
**whereas** während
**whereby** wobei
**wherever** wo . . . auch
**whether** ob
**which** (rel. pron.) der, welcher; (indef.) was; **— one** (interrog. pron.) welcher
**while** während
**white** weiß
**who** (interrog. pron.) wer; (rel. pron.) der, welcher; (indef.) wer; **he —** wer
**whole** ganz
**wicked** bös(e)
**widely** weit-; **— loved** weitbeliebt; **— celebrated** weitberühmt
**widespread** allgemein
**widow** die Witwe, -n
**wife** die Frau, -en, die Gemahlin, -nen
**wig** die Perücke, -n
**wild** wild
**will** der Wille (-ns), -n
**win** erwerben*
**wind** (intrans.) sich winden*
**window** das Fenster, -
**windshield** die Windschutzscheibe, -n
**wing** der Flügel, -
**winning** der Gewinn, -e
**winter** der Winter, -; **— journey** die Winterreise, -n; **— solstice** die Wintersonnenwende, -n
**wish** wollen*
**wit** der Witz
**with** mit, bei, von (dat.)
**withdraw** (intrans.) sich zurück-ziehen*, sich los-sagen
**within** innerhalb (gen.)
**without** ohne (acc.)
**wonderful** wunderbar, wundervoll
**wood** das Holz, ⸚er; **pile of —** der Holzstoß, ⸚e; **— carving** die Holz-schnitzerei; **— tool** das Schnitz-werkzeug, -e
**wooing** die Werbung, -en
**wool** die Wolle, -n
**woolen fabric** der Wollstoff, -e
**word** (disconnected) das Wort, ⸚er; (connected) das Wort, -e
**work** das Werk, -e; **early —** das Frühwerk; **to —** arbeiten
**workshop** die Werkstatt, ⸚en
**world** die Welt, -en; **— trade** der Welthandel; **— famous** welt-berühmt
**worried about** besorgt um (acc.)
**worse** schlechter; **grow —** sich ver-schlimmern

**worst (the)** das Schlimmste (adj. decl.)

**worth** wert

**wrap** ein-wickeln

**wrath** der Zorn

**wrest from** entreißen* (dat. of pers.)

**write** schreiben*, — (=**compose**) verfassen; — **down** nieder-schreiben*

**wrong** unrecht

Y

**year** das Jahr, -e

**yearning** die Sehnsucht

**yellow** gelb

**yes** ja

**yesterday** gestern

**yet** noch; **as** — noch; — (= **although** *or* **nevertheless**) doch, aber, dennoch

**yield** ergeben*

**young** jung; — **and old** jung und alt

**youth** die Jugend

**Yugoslavia** (das) Jugoslavien

Z

**zeal** der Eifer

**zinc** der *or* das Zink